抽象と具体

——創造行為を描き出すこと

はじめに

学生のころ、著者の通った大学に小池滋[1]という先生、イギリス文学の研究者がいらした。講義の始まる前、研究者というからには、しかめ面をして夏目漱石のように髭をはやしているのだろうかと想像をめぐらしていたが、実際に教室に現れたのは、いかめしい大先生ではなく、実におもしろい話をする紳士であった。その話はもちろん学識に裏打ちされたものであったが、大学の講義がこれほどおもしろくてよいものかとさえ思ったものだ。後に大学院へ進み大学に勤め、学会にたまに顔を出すようになり気づいたのは、小池先生はむしろ例外的な研究者だということだった。いかにも研究者らしい研究者、発表中にこりともしない研究者を目の当たりにしつつ、文学をおもしろく語るのはつくづく難しいことだと知った。研究しているうちに文学がつまらなくなるということもわかってきた。若い頃は、作品のなかの世界がすべてという読み方ができる。しかし齢を重ねるにつれ、作品の作為性、つくりものめいた部分に気がつく。それを差し引いてもなお、おもしろいと感じ続けること、若い頃に感じた、文学がおもしろいというその気持ちを失うことなく、文学とつきあっていくことは、じつはかなり難しい。それでも小池先生はご高齢になるまで、文学をおもしろく語り続けた。

小池先生のように還暦を過ぎても文学をおもしろく語り続けたいと思い、ふと見回すと、著者にとってその対象となる作家は、その作品に抽象と具体が入り混じり、世界文学と呼ぶに値するノーベル文学賞受賞者のカズオ・イシグロやV・S・ナイポール[3]であった。

カズオ・イシグロのそれぞれの作品テーマはどれも深刻で、具体の描写を第一義的に楽しみながら読むという作品ではない。むしろ深刻な問題のありかに次第に気づかされるという、作品の抽象の楽しさを味読できる作家だ。もちろん具体の小さな楽しみはある。『わたしたちが孤児だったころ』[4]のバンクスが上海の戦場で両親の消息を求めてさまようときに出会った日本軍の大佐がディケンズの大の愛読者であるといった設定のおもしろさ。よくも戦場という緊迫した場にディケンズを読む大佐を登場させ、小さな笑いを挿入したものだと感心する。イシグロには『夜想曲集　音楽と夕暮れをめぐる五つの物語』[5]という短篇集があり、その中に、「夜想曲」というスラップ・スティック・コメディがある。イシグロ自身コメディのつもりで書いたのであろう。ところが、どう読んでも笑えないし、楽しくない。それなのに、上海の戦場のディケンズはもうそれだけで可笑しい。不思議だ。ただし、イシグロの全体が笑いの総体という具合にはなっていない。

トリニダード島という一地域から出た作家V・S・ナイポールも笑いと無縁の作家ではない。そもそも旧植民地からロンドンという中心に出た作家なので、その移動にともなう深刻さが常につきまとうのは当然としても、最初の作品『ミゲル・ストリート』[6]の登場人物など、だれひとりとっても笑いの対象たりえない人物はいない。もちろんそのあとに言いようのないペーソスがついてまわるのだが、長編『ビスワス氏の家』[7]には、すでにイギリス風ユーモアの片鱗がいたるところに見え隠れする。『模倣者たち』[8]の模倣者の模倣ぶりの具体はまことに可笑しいが、なぜ模倣するのかという抽象を考えだすと、笑ってばかりはいられなくなる。ナイポールは自分を笑いのめすことのできた人物と思えるが、大きな問題を扱うときは笑いが影をひそめる。むしろ喜劇と悲劇の間の振幅の大きかった早世の弟シヴァ・ナイポール[9]のほうが、ふだん深刻な考え方をするだけあって、笑いには敏感だったかもしれない。作品のなかに抽象と具体が入り混じる。

V・S・ナイポールは画家デ・キリコ[10]の抽象的な作品「到着と午後の謎」[11]に注目する。ナイポールが引っ越してきたコテージで、以前の借り手の所有物の一部として見つけたデ・キリコの画集のなかにその絵画はあった。そして小説『到着の謎』[12]が誕生する。

ギリシャに生まれローマに住んだデ・キリコは、その抽象的な絵画のインパクトが大きいため、それ以前に具体的な題材をもった絵画から出発していた点が忘れられがちだ。ところが時系列を確認すると、具体、抽象、具体、抽象という揺れが見えてくる。ナイポールが抱え込んでいた具体的な課題と、デ・キリコのごく初期や中盤の具体的作品とでは、相互に共通するものが少なからずあるが、抽象化がそれを結び付けた。遠く離れた土地の出身者であっても、その間のコミュニケーションに抽象の果たす役割は大きい。つまりこういうことだ。コテージに到着したナイポールは、おのれの到着なる行為に過度の意識を働かせていた。そこに到着がテーマとも読めるデ・キリコの絵画の発見、いや、偶然の出会いが重なり、どうして自分はここにいるのかという作家の最大のテーマを刺激し、いやがうえにも増幅する方へと作家を向かわせることになった。到着というテーマの抽象が、デ・キリコの絵画という具体を呼び寄せ、考察の果てに抽象へと回帰するに至る。そこからまた『到着の謎』という具体的な作品を書いていく。抽象と具体の幸福なる反復はおのずと創作に結実する。

写真批評にあっては、抽象と具体という言葉がひしめいている。写真はそもそも肖像画や風景画に代わるものとして、現実を精密に写し取る機能を担っていたが、肖像写真を特別に撮影して記念に遺すという人の数は減った。高性能のデジタルカメラがスマートフォンに搭載され、初心者でも短時間で多数の写真を撮影できるようになった。時代の変化につれ、写真は時に具体に向かい、時に抽象に向かった。

映画は無声から出発した。弁士の存在は映画発明の初期にあって映画が文字から独立していなかったことを示す。弁士が消え、俳優の声が観客に届くようになる。観客はあるときは映画の抽象性に戸惑い、あるときは具体性の横溢に辟易とした。製作者たちは変化の激しい観客の反応を見ながら、抽象と具体を使い分けてきた。

そして文学。作家は語る語らないを問わず、抽象と具体を使いわけて創造活動を続ける。断片、創作ノート、詩、日記、書簡、旅行記、小説などのジャンルにはそれぞれ抽象と具体の濃淡があり、ヴァリエーションがある。人を古今東西の芸術作品の渉猟へと誘う。

抽象と具体という正反対の表現の営みが人の芸術とその創造にいかに寄与するか。本書ではそれらを探るため、絵画、写真、映像、文学、言語という入口を用意し、さまざまな作品をとりあげる。といって五つの分野が、山の壁面に掘られた洞窟のように横一列に並んでいるわけではない。作品は接近しようとする者の理屈など歯牙にもかけず、ただ在るのみ。ならば五つと限定せず、折々に入りやすい分野の無数の作品の入口から入り、また出口に立つとする。

はじめに 脚注

1 **小池滋** 一九三一年―。東京都立大学、東京女子大学で教える。ヴィクトリア朝のイギリス社会小説の研究者。『幸福な旅人たち』（南雲堂不死鳥選書、一九六二年）という初期の書き物に自由な筆致が特に光る。またフォースターやオーウェルなどモダニズムの時代の作家の翻訳も見逃せない。

2 **カズオ・イシグロ** 巻末作品年表を参照。

3 **V・S・ナイポール** 同。

4 **『わたしたちが孤児だったころ』** 同。

5 **『夜想曲集 音楽と夕暮れをめぐる五つの物語』** 同。

6 **『ミゲル・ストリート』** 同。トリニダードのある通りの住人を点描した秀作。少年の目で風変わりな大人を描写。

7 **『ビスワス氏の家』** 同。

8 **『模倣者たち』** 同。

9 **シヴァ・ナイポール** 一九四五―一九八五。V・S・ナイポールの弟。四十歳にならずして他界。兄の『ビスワス氏の家』と同様に父や母をモデルにした『蛍』、『潮干狩り』『熱い国』の小説三作と『終わらなかった旅』などの紀行を遺す。兄の書かなかった世界、書けぬ世界を、これまた平易な英語で描ききった。

10 **デ・キリコ** ジョルジョ・デ・キリコ。一八八六―一九七八。イタリアの画家。初期の形而上絵画でつとに有名。ピカソや詩人アポリネールと交友があり、のちにローマのスペイン広場にアトリエをかまえるなど、生前から名声を得た。

11 **「到着と午後の謎」** デ・キリコの一九一二年の作品。"The Enigma of the Arrival and Afternoon"

12 **『到着の謎』** 一九八七年。巻末作品年表を参照。

『抽象と具体——創造行為を描き出すこと』目次

はじめに　2

第一章　抽象と具体の相貌　言葉と都市空間のエスキス　15

抽象のことばの始まり　16
カズオ・イシグロ作品の抽象（一）　18
イシグロ作品と先行の英文学　21
都市の絵画、高層ビルの映す抽象　23
光と陰の抽象　27
ロンドンの霧の抽象　29
『忘れられた巨人』の霧と記憶の喪失　32
外装、雪、雨、音楽、服装、季節、自然の抽象　35

箱と移動、路線の抽象　43
五つの名詞　47
第二章　作家と作品の部屋—チャールズ・ディケンズの具体　51
不条理と観察　52
ディケンズ作品の衣と食　55
イギリス文学の住いと間取り　59
安堵できる家とスラムと　65
墓と阿片窟、不可視の場所　67
ロンドンを歩く、イギリス文学の具体を楽しむ　71
ディケンズの楽しみ　74

第三章　漱石の具体から抽象へ　81

漱石の具体、場所と旅　82
『吾輩は猫である』、『坊ちゃん』、『二百十日』　85
『草枕』、『虞美人草』、『それから』　89
移動と定点、具体から抽象の晩年へ　92

第四章　新宿と一九七〇年代東京　99

新宿文化　100
新宿はいつ行っても工事している　103
それぞれの新宿　104
七〇年代東京の抽象、植草甚一とカンディンスキー　107
ブローティガンの抽象化された日本　110
仮面の居留地　114

第五章　旅の具体から抽象へ　創作ノートとトラベル・ライティング　117
『潮騒』の島の抽象と具体　118
旅とフィクション　122
西行と芭蕉への旅　124
具体と抽象の月　127
日記と作品ノートの抽象　129
三島の紀行文、川端『古都』の抽象　134
作品世界の抽象性　137
カズオ・イシグロ作品の抽象（二）　141
見慣れぬ土地という抽象化　144

第六章　抽象のアジア　ウォン・カーウァイのメタフィクション　147
カーウァイ、非日常と仮面　148
『花様年華』のメタフィクション性、メタフィルム性　152
文学史のなかのメタフィクション　156
第七章　書くことの自意識　作家・詩人・哲学者の映画から　161
レールを運搬する列車　162
実在の作家の架空、架空の作家の実在　164
具体の死と抽象の生　166
配偶者の具体と抽象　169
自省的作品の抽象　171
書くことの強迫と作家の隠遁　172
代わりに隠された真実を書くという危険　175

リアリズムのルールと創造の秘密　177
作家でなくなるということ　180
作家の誕生と自己の分裂　181
芸術と人生、それぞれの意味と無意味と　184
現実の生活から本という抽象へ　188
詩と哲学の抽象と日常生活の具体　189
抽象と具体の往還、創造の持続　194

おわりに、そして、はじまりに　197

作品年表　205
地名さくいん　210

第一章　抽象と具体の相貌

言葉と都市空間のエスキス

抽象のことばの始まり

人はいくつから個人のことばのレベルで抽象的表現と具体的表現を使いわけるのだろうか。次の詩「新しい年」は、新年にペットと散歩に出て気持ちを新たにする少女が書いたものだ。

まっ白でそして新しいくつをはいて
ジロと散歩にいった
こおりをバリバリとわって
ザクザクとシモをふんで
ジロといっしょに走りっこした
新しい年がひらけてくるみたいで
　何だかうれしくなった
　楽しくなった
そして走った
ステンコロリー　初ころび
へんな気持だった

でも走った
ジロも走った
いっしょに走った

（『［新装版］二十歳の原点ノート』八頁、高野悦子著、カンゼン、二〇〇九年。原著は一九六三年）

いかにも抽象的と形容しうる言葉はない。しかし〝新し〟さの実感やペットとの〝走〟りにその萌芽を感じとることができる。書き手は十月二十四日にヘルマン・ヘッセ（一八七七－一九六二）の『車輪の下』（一九〇五）を読了する。「人間性」についての考察をはじめたものの、英語や数学の勉強に追われる。なんとか学校の勉強との折り合いをつけつつ、徐々に、自分の読書を充実させていく。世界が広がる。具体の「いま―ここ」から離れた抽象の「いつか―どこか」へと思いを巡らせていく。広がっていく世界、広がっていく経験をなんとかことばで言い当てようとして新たな本に向かう。読書好きな人は本の手を借りて抽象世界に入っていく。作家とても同じこと。作家こそまさにそのようにして、自分の世界を構築する。個人作家の記念館、文学館に集められた蔵書の数々は作家の成長をつぶさに示す。作家の抽象への道程を示す。高野はその後、高校、大学と進学し、さまざまな抽象名詞、さまざまな抽象的思考に馴染んでいく。読書や交友を通じて。

高野の日記との出会いはまだ十代の筆者に刺激的な出来事であった。当時、高校の国語の先生が書店に行くというのでついていくと、先生は高野の日記を買った。高野と先生という年長の若者の精神生活に触れたくて、同書を耽読した。以降、現実世界とはまた別の、本の世界に何度となく足をとられそうになりながらも、現実世界を生きるということが三十代始めまで続いた。現職就任というかたちで世間に出るとそこにはバブルの時代があった。

幼児は具体的生活の術を持たない。親が与えるもののみを受け取る。食事、衣服、家という居場所、そして愛情。親が幼児に描く道具を持たせてみる。幼児は白い紙になにかを描きつける。なにかとは、線であったり円のようであったり、なんであるかわからない。抽象の萌芽だ。幼児の描く具体性に乏しい図象は、ときに大人の抽象絵画を凌ぐ。人の営みは抽象に始まり、具体に転じ、そして抽象にて閉じるとも言える。

カズオ・イシグロ作品の抽象（一）

ここでカズオ・イシグロ（一九五四―）作品に出てくる抽象名詞を軸に抽象と具体をみていこう。『わたしたちが孤児だったころ』（二〇〇〇）という推理小説仕立ての純文学作品がある。舞台はロンドンと上海で、時代は一九二三年から第二次世界大戦後のしばらくまで。大戦間の上海は、コン・リー（一九六五―）主演の『花の影』（一九九六）などにも描かれているように、それは国際的な都会であったという。谷崎潤一郎（一八八六―一九六五）の短篇『秘密』（一九一一）の女性主人公も上海帰りという設定であった。イシグロも上海がよほど気になっていたようで、脚本を手掛けた映画『白い伯爵夫人』（二〇〇五）も上海の高級クラブを舞台とする。『わたしたちが孤児だったころ』では、上海で主人公にとっての謎が起こり、大人になってその謎を解くために上海に行く。ただし、冒頭と結末部分はロンドンが舞台だ。主人公にとって落ち着ける場所はアジアの喧噪ではなくロンドンの静寂であった。

冒頭、ケンブリッジ大学を卒業した主人公バンクスは偶然、パブリック・スクールの同窓生オズボーンに出会う。かれもまたロンドンの高級住宅街ケンジントンに住み、政界に入らないのであればジャーナリストになろうという未来像を描いている。ケンジントンとはデパートのハロッズ、自然史博物館なども近く、バンクスが語るようにロンドンのいくつもの公園を楽しむのに恰好のロケーションだ。今、二人はバンクスのフラットで茶を飲みながら世間話をしている。その世間話の流れが、具体的な過去の共通の知人の話題から哲学の話題へと、固有名詞、普通名詞の世界から抽象名詞の世界へと展開していく。鼻持ちならないと言えばその通りだが、これがかれらのような教育を受けた者の自然のスタイル。二人は、「しばらく労働組合の話をしてから、ドイツ哲学につて長く楽しい議論をしたのを覚えている。この議論でわたしたちはそれぞれの大学で獲得した知識を披露し合った」（カズオ・イシグロ『わたしたちが孤児だったころ』、早川文庫、二〇〇六年、十一頁）。オズボーンは出版界に入りたいという自らの抱負を語った上で、バンクスに将来の計画を話すよう促す。しかし、バンクスは少年時代に探偵になりたいと言って、まわりからからかわれた経験があるので、ここは用心する。「わたしは彼にはなにも明かさず、まもなくまた哲学や詩などの議論にうまくもっていった」(同)。かれらにとって将来設計よりも詩のほうが、哲学同様に抽象性を帯びているのであろうということがわかる。

『遠い山なみの光』と『浮世の画家』は、自分のなかで消え行く日本の記憶をなんとか具体的なかたちで残しておきたいという、作家イシグロの願望の具現だ。だからできあがった作品中の日本は、日本でありそうで日本でなさそうな不思議な場となった。時代設定と時間の経過もイシグロの日本を曖昧にしている。イシグロは初期の段階から、まずテーマがあり、そのテーマを中心に話を進めて行くタイプの作家だった。とにかく白い紙の前に、タイプライターの前に、パソコンの前に座って書き出すという作家ではなかった。それだけにイシグロの日本は抽象的となった。長編三作目『日の名残り』(一九八九)のスティーヴンスを取り巻くのはダーリントン・ホールというカントリー・ハウスの具体だ。かれは銀器の位置から家具の埃ひとつまで屋敷のあらゆる細部にいたるまで、常に気を配っている。ところが感情という、時に抽象的な世界のこととなると、理解が及ばない。まして恋愛感情となるとなおさらだ。長編四作目『充たされざる者』は一見安手の抽象に終始する。主人公の音楽家の音楽理論は稚拙ですらある。長編五作目『わたしを離さないで』(二〇〇五)はキャシーの教養小説と見ることもできるものの、そもそもかの女が担わされた使命が、イギリスに多々ある教養小説とは異なる世界の話だ。語り手の一人称キャシーの頭の中にも抽象的なことがらは非体系的に入り込む。そもそも抽象が若者に体系的に入り込むということはまれであろう。たとえ普遍的な体系なるものがあると仮定しても。長編六作目『わたしたちが孤児だったころ』には、上海租界の迷路を一度高みから俯瞰して全体を把握しようとする、ディケンズ好きの日本人の大佐が登場する。「信頼できない語り手」バンクスにどこまでも付いて行くと読者は具体の横溢のなかで迷子になりかねない。長編七作目『忘れられた巨人』（二〇一五）は作品全体が何かのメタファー、つまり寓話になっているので、話は具体的ながら、その効果は抽象が産みだすそれに近い。遠い国の歴史ながら、日本で日本人が読んでいても関ヶ原の戦いなど国全体の将来を左右する内戦に連想が走る。

イシグロ作品と先行の英文学

Ｅ・Ｍ・フォースター（一八七九―一九七〇）の小説『長い旅』の冒頭にケンブリッジ大学の学生が会話するくだりがあるが、イシグロのように話のフィールドが哲学であると紹介するのとは異なり、哲学の中身そのものが小説の冒頭を飾る。大学の大理石の建物の近くで草をはむ牛は、存在しているのか否かという話だ。後に観る映画『ウィトゲンシュタイン』の舞台の一部となったケンブリッジ大学[1]での話だ。

イシグロとフォースターを並べたのは意図してのことだ。イシグロ作品には、英文学の先行作品への言及、暗示が多く、それを確かめてみる。

三度目の紹介となるが、イシグロの『わたしたちが孤児だったころ』の中盤以降に登場する上海で指揮をとる日本人の将校はチャールズ・ディケンズ（一八一二—一八七〇）の愛読者ということになっている。主人公バンクスが養女として迎えるジェニファーは作品終了時点で三十歳前後、どこかシャーロット・ブロンテ（一八一六—一八五五）の『ジェイン・エア』（一八四七）のジェインを想起させる。謙虚で、決然とし、自らの運命を呪うことをしない女性だ。こうした女性像はイシグロの後続作品『わたしを離さないで』（二〇〇五）の主人公キャサリンにもつながっていく。かの女も作品終了時点で三十歳前後だが、妙に達観したところがある。バンクスの子ども時代の愛読書にはウオルター・スコット（一七七一—一八三二）の『アイヴァンホー』（一八一九）も含まれている。またバンクスのイギリスでの少年時代、友人たちからその探偵癖を噂されるとき、その背景にイシグロが漂わせていたのは、アーサー・コナン・ドイル（一八五九—一九三〇）のシャーロック・ホームズの世界であった。ただし、おもしろいことに、バンクスが成人後、自分が解決したと言ういくつかの事件の詳細は描かれていない。かれが事件を解決したと主張しているだけで、読者にはその証拠が提供されていない。バンクスが「信頼できない語り手」と分類される理由だ。そこでフォースターに戻ると、バンクスの伯母の世話になっている状況は、ケンブリッジを卒業したフォースターの境遇に重なるものがある。そのおかげで、フォースターは大学卒業後、ただちに職を探さなければならないということにはならなかった。そしてゆっくりと小説を書き始めた。バンクスは職業こそ探偵だが、自分で手記を書き、それが小説『わたしたちが孤児だったころ』となっているのだから、探偵というよりも小説家と言ったほうがふさわしいのかもしれない。

フォースターの作品はいずれも小説としておもしろい。抽象と具体との関係で断っておくと、フォースターにとっての現実、具体があり、それを抽象化したのがかれの小説といえる。しかし小説であるから、その世界の枠組みのなかでは具体的記述が続き、抽象はわずかだ。一方、かれの講演録の評論『小説とは何か』[2]（一九六九）では頻出とまではいかずとも抽象的内容がときおり出てくる。

ジョージ・エリオット（一八一九―一八八〇）がリアリズム小説の時代にことあるごとに抽象に向かおうとする傾向を示したのに対し、同じリアリズムの作家であっても、チャールズ・ディケンズは具体にとどまり続けながら、アレゴリー、シンボル、メタファーに走る傾向があった。

都市の絵画、高層ビルの映す抽象

ここで都市の絵画に抽象と具体の階（きざはし）をみておこう。

マンハッタンのビル群を著者が初めて目にしたとき、ホテルを巡回するバスの中からそれは霜柱のように見えた。やがて、霜柱の一本一本がビルのひとつひとつと気づいた。霜柱という氷の柱と見まちがえるほどに、ビル群は抽象的に見えた。近付いてみて、その抽象性が解消されたというものでもなかった。ガラスのビルがつくりだす独特の抽象的な雰囲気。これが夜ともなると、暗闇に明かりが浮き立ち、ビルはますます抽象性を帯びる。一枚の絵ハガキがその例を提供してくれる。

ニューヨーク、マンハッタンの高層ビル群というのは、建物のなかでも、抽象的な部類に属する。モンドリアン（一八七二―一九四四）にあっては都市ニューヨークも線の集合体となる。いま、見直したいのは「ニューヨーク」と題する作品群だ。

モンドリアンの作品はデ・キリコの作品よりもさらに抽象度が高い。デ・キリコの作品の抽象性は、画家が抽象を意識した結果としてのそれというより、ギリシャから出たかれがトリノを通過地点とした結果のそれだ。トリノの昼間は街に人影がまばらで、具体の最たる存在としての人がいない街の、建物ばか

りを描けば作品は抽象性をおびる。この視点に立つと、人や動物や植物といった自然不在の絵画の抽象性も納得がいく。ビジネスホテルの壁にかけられた写真が抽象的であっても、昼間、人混みにあてられ疲れたビジネスマンたちにとって、その抽象性が心地よい。

超高層ビルは抽象と結びつきやすい。地震の多い日本では、抽象性の高い空間、地面から距離のある空間を苦手とする人も多かろう。アメリカでは、ビルの高層階と人生の成功とがさまざまな表象において容易に結びつく。もちろん『ウオールデン：森の生活』（一八五四）を書いた地に足をつけることを好むヘンリー・デイヴィッド・ソロー（一八一七―一八六二）のような人もまたこの国で繰り返し現れるものの、成功の証という抽象が映り込んだ人工的空間としての具象、その超高層ビルの住人をめざす人たちもそこかしこにいる。

ニューヨーク、ブルックリンで育ったウッディー・アレン（一九三五―）はいつもマンハッタンの高層ビル群を眺めて育っ

光が作り出すビルという抽象芸術（右、左ともニューヨークの絵はがきより）

た。かれの映画にマンハッタンは不可欠だ。そして作中人物たちは『マンハッタン殺人ミステリー』（一九九三）の人生に余裕のある人々のように、集まれば会話に熱中しカードにうち興じる。かれらにとっては自分のコメントを他人に伝えることこそが生きがいだ。

映画『インテリア』（一九七八）は、アレンの前後の作品群から浮き立った一作だ。作品冒頭、夫は、高層ビルの高所から街を見下ろしながら亡き妻のことを回想する。夫はビジネス・スクールを中退後、妻の助力もあって、今の抽象の高み、金銭が土台となる高層ビルの高み、回想という抽象的な行為の高みにあるのだが、妻はもはやいない。妻はインテリアに懲り、室内アレンジにその繊細な美意識を発揮する抽象志向の女性だった。

ふたりには三人の娘がいた。いずれも個性的な女性に成長したころ、父はある告白をする。別の女性と一緒になるという。母はひとり暮らす。父と新しい妻と三人の娘とそのパートナーたちが別荘に集まる。と、表に人の気配を感じた三女が外にでると、実の母が砂浜から海に向かっている姿が目に入る。助けようとした三女は溺れ、新しい母の人工呼吸で息を吹き返す。後日、三人の娘の喪服姿が映り、実の母がこの三女の努力も空しく、亡くなったとわかる。かの女たちの父親、つまり、冒頭の夫は、インテリアに凝る妻の長所を十分に理解しつつも、子ども達の成長後、先妻とは対極のガサツな女性と一緒になった。抽象志向の美を認めつつも、そして自分はその助けで高層ビルの高みに上がれたものの、具体への郷愁は抜き去りがたかった。人は抽象も具体も必要とする。

光と陰の抽象

夜の帳は自然の具体を暗闇で覆い、抽象化に一役かう。昼間見えていた具体が光を失うことで、見る者を抽象の世界へと誘う。深夜の思考が冴えるのにはそれなりの理由がある。画家は光のもとで絵筆をとり、小説家は日が落ちてから活動を開始する。もっとも日中の光のなかで書くという作家がいないというのではない。集中が約束されれば、昼も夜も関係がなくなる。夜の曖昧さ、闇の美を語るなら谷崎潤一郎（一八八六—一九六五）の『陰影礼賛』（一九三九）。外国の日本贔屓の作家や文人達が礼賛してやまぬエッセーだ。

闇が都市に抽象性を与えるというのなら、雨や雪もまた同様の効果をもつ。夜目、遠目、傘の下とは、具体を覆う様にかかわる表現だ。マンハッタンのビル群を遠目で感じた者はそこに超高層ビルの抽象を見る。

夏目漱石（一八六七—一九一六）の『三四郎』（一九〇八）に三四郎が運動会に出かける場面がある。運動会に出かける美禰子たち女性の姿が気になる。ところが女性には婦人席が用意されていて、一緒に競技を眺めることができない。

…それでも人と人の間から婦人席の方を見渡す事は忘れなかった。横からだから能く見えないが、此処はさすがに綺麗である。悉く着飾っている。その上遠距離だから顔がみんな美しい。その代わり誰が目立って美しいという事もない。只総体が総体として美しい。

（『三四郎』、新潮文庫、一七五頁）

三四郎は体育会系の人間ではない。「どうして、ああ無分別に走ける気になれたものだろう」と思ってあきれる（同頁）。しかも、婦人達のなかでも美禰子とよし子がもっとも熱心に走者を見ている。三四郎は美禰子を自分の型にはめて見ようとするが、美禰子はそこからはみ出している。三四郎は最後まで美禰子のその部分がわからない。

雨、雲、闇など、どちらかというと暗の側面に目を向けてきたが、明の抽象化もある。太陽の光が眩し過ぎて対象をよく見ることができないという場合、光による対象の抽象化と呼んで差し支えなかろう。月あかりも明ということになる。しかし、どれほど月が鮮やかでも、昼間の具体は闇に覆い隠され、月の照らし出す夜の周りの様子は、抽象の世界のそれだ。

そこで人は人工の光を用い始める。イルミネーションだ。長い列をつくり、列の中で長時間待ち、やっとイルミネーションに辿り着く。昼間とはまったく異なる建物やオブジェの姿が浮かび上がる。それらは昼間の具体から離れる。グラフィック社編集部による『世界のきらめくイルミネーション』（グラフィック社、二〇一八）は、そうしたイルミネーションの数々を集めた本だ。

日本的な闇のなかに光を灯そうという趣向もある。嵐山の花灯路だ。毎年十二月、小倉池、竹林などに灯籠がともり、ただでさえ闇の抽象美が見事なところに光の抽象美が加わる。光をテーマとする企画展も数々開かれている。正反対の闇と光がいずれも抽象を加速するところがおもしろい。ということは、われわれを取り囲む環境が適度な現実たりえるのは、闇と光の間のどこかとも言い換えられよう。

ロンドンの霧の抽象

次の写真はどうであろうか。ミラノの大聖堂の写真（31頁）。正面前の広場には大きなクリスマス・ツリーが飾られているので十二月のこと。朝の光景。まだ大聖堂を霧が覆っている。四半世紀以上も昔の写真でありながら、つい昨日の大聖堂のように見えるのは、霧があたりの具体を覆い隠しているからだ。いつの時代ともわからぬ、時代を越えた光景が霧によってつくられている。これをライトアップしたミラノの大聖堂の絵はがきと比較すると、それぞれの大聖堂の指し示す抽象世界が異なることがわかる。

次の写真は朝のロンドン、大英博物館の正面だ（31頁）。人はまだいない。門の奥を見ると、大英博物館に巨大なシートが被せられている。外装の修復であろうか。朝のロンドンの霧、そして白いシートにより、大英博物館は抽象的なオブジェにまでなった。二十一世紀への変わり目のころの写真だが、いかなる時間にも係留されていない個性的な建物となって、普段の列柱のファッサード姿を凌ぎさえする。

　ロンドンの霧は今も昔もよく知られていた。暖を石炭や薪でとっていた時代には、今よりもさらに濃い霧がたちこめていた。漱石の『カーライル博物館』（一九〇五）はロンドン滞在中の「余」の博物館訪問記で、事実、当時の博物館の様子がつぶさに語られているが、漱石が訪問した一九〇一年の約九十年後に著者が訪ねた時とはそれぞれの部屋の家具なども違うし、まして約百二十年後の今日、さらに配置も異なるであろうから、短編小説として読んで一向に違和感はない。時とは、そのようにして、訪問記をも小説にしてしまう。

　作品は公園での演説とそれを聴くトマス・カーライル（一七九五―一八八一）との出逢いに始まる。テムズ川河畔に腰をかける「余」が、物思いに耽る場面に移り、一人称の語り手の「余」はロンドンの濃霧に触れる。

「余」はカーライルの住んでいたチェルシーに同じく居をかまえていた文人の名に触れ、やがてカーライル博物館の戸をたたく。女性が出てきて、家のなかを案内する。カーライルの書斎が四階の屋根裏部屋と知りうれしがる。カーライルは、当初、巷の喧噪から逃避可能と勘違いしたのであろうと「余」は推測する。かれの抽象の思考に、一階、二階、三階は不適切と考えたのであろう。だが、自然の報復が尋常ではなかった。夏暑く、冬寒い部屋、環境的には失敗だった。喧噪は便利の証。

霧の中のミラノ大聖堂（撮影：著者）

外装工事中のロンドン大英博物館に霧がかかる（撮影：著者）

孤高の思考といっても、場所を選ばないと、このようなことになるのかもしれない。

「余」は記念館を管理する婦人の案内で、最上階へと上がり、また降りてくる。そのときはあたかも「下界」におりるかの気分だという。現在もロンドンには多数の記念館、小さな博物館の類があり、本書でも後にディケンズの家などに触れるが、個人の訪問者にひとりの案内人、解説者がつくということは一般的にはない。かわりに、中規模、大規模の美術館、博物館ではツアーの時間が示されていて、専門家について館内をまわるようになっている。


ロバート・ルイス・スティーヴンソン（一八五〇―一八九四）の『ジキル博士とハイド氏』（一八八六）は日本でもよく知られている。ハイド氏がロンドン、ソーホーの隠れ家から夜な夜な表に出て犯罪に手を染めるにいたるのも、夜陰や霧に乗じてのこと。文学館や文人の家も訪問日の天候によってその印象が大きく変わる。

『忘れられた巨人』の霧と記憶の喪失

霧をうまく作品に取り込んだ現代作家がいる。『忘れられた巨人』を書いたカズオ・イシグロだ（巻末リスト参照）。

時はアーサー王の時代のすぐあと[3]、ガウェイン卿がまだ生きていたころのこと。ブリテン島のとある村の住人アクセルと妻のベアトリスは、自分たちの記憶の衰えに不自由を感じながらも残り少ない時間を生きていたが、遠くの島にいるという息子に会おうと決意し、段取りを整え、旅に出る。途中、ガウェイン卿はじめ、さまざまな人物に出会い、定住生活では得られなかったような経験をし、自分たちの忘却の理由が雌竜の吐き出す息である霧にあることを知るにいたる。二人は、雌竜の退治を目指す人物に、老骨に鞭打ち、加勢し、霧の晴れる日を待つ。霧が晴れるということは人々が忘却の淵に沈めていた記憶がよみがえるということ。よみがえる記憶が自分たちにとってよい結果をもたらすか否かは、雌竜が死んで記憶が戻ってみないことにはわからない。だから今は幸福に暮らすアクセルも妻のベアトリスも、霧が晴れたあと何が出てくるかと、わずかにおそれおののいている。ふたりの記憶が戻る箇所こそ『忘れられた巨人』のクライマックスだが、披露は控える。

抽象と具体という観点から言えば、霧はアクセルと妻ベアトリスの間にある具体的な問題を覆い隠してしまったということになる。霧のおかげで、忘却のおかげで、二人は作品の開始時点から騎士ウェスタンの雌竜退治の場面にいたるまで、仲睦まじく行動することができた。霧が晴れたとたんに、二人は過去のある具体的な事実に直面する。読者は霧にはぐらかされて知ることのできなかったアクセルとベアトリスの真実に触れる。

記憶、そして『忘れられた巨人』では、記憶の喪失はイシグロ的テーマというかたちで議論されることが多い。記憶という語がしばしば登場する。しかし、この作品で特に際立っているのは、記憶や記憶の喪失といったいわば人のおかれているある状態を、かれは記憶している、かの女は記憶を喪失しているという具合にばかり描写するのではなく、記憶している人物の行動や言葉、記憶を喪失している人物の行動や言葉によって、この二つの状態を表現しようとしているところだ。記憶や記憶の喪失という単純な表現に加え、何かを記憶している状態の人間を、そして何かの記憶を失くしている人間を、多くの言葉を費やして具体的に描く。

ここにあるのは、記憶を喪失している状態の説明ではなく、記憶を喪失している人の行動の描写だ。書き手が人の行動の描写を優先することによって、読者がその描写に記憶の喪失という言葉を与えてしまうということであろう。こうして読者はみずから作中人物を凝視し、ああ、この人物には記憶がないと判断する。

『忘れられた巨人』には、人の記憶の喪失ということがさまざまなかたちで扱われている。物語を読む読者は、作品中の記憶の喪失とは別に、自分の生きている現実、あるいは自分の生きてきた歴史のなかの記憶の喪失さえも連想する。イシグロの語り手たちは自分の語っている記憶の喪失と、読者のみなさん、あなたがたの記憶の喪失には類似点がありますよ、という具合には書かない。AはBのようであると直接的に両者を結び付けるのではなく、AとBが読者のなかで隠喩的に結びつくように仕組む。さらに『忘れられた巨人』には寓話的要素も盛り込まれている。むしろ寓話そのものと言いなおすべきかもしれない。寓話とは、ひとつの物語が進行していながら、それを読む読者がまったく別の時代のまったく別の物語や現実の事件を想起するように作られた話だ。

霧は忘却を象徴する。記憶の喪失を象徴する。忘却は目に見えないので、霧を出す。それによって作中人物たちの忘却を表現する。イシグロが二十一世紀に辿りついた手法だ。

『泥の河』（一九七七）で記憶されている多作の宮本輝（一九四七—）も、初期に霧を用いた。かれに『避暑地の猫』（二〇〇三）という軽井沢を舞台とした作品がある。主人公の青年は霧がでると精神状態がおかしくなるという想定だ。霧の日が増えた、減ったということさえも文学に大きく影響してくる。マクロな天気図は抽象の極みながら、文学からは距離ができてしまう。目の前の雨や霧が文学をつくる。


外装、雪、雨、音楽、服装、季節、自然の抽象

霧の話で深刻な内容にまで及んだので、次は、少し遊び心ある例、あるいは遊び心で眺めることのできる例に触れてみる。一九九〇年代初頭に撮影したロンドン、コヴェント・ガーデン地区にあるフォトグラファーズ・ギャラリーの写真（36頁）。黒い建物もすでに十分に抽象的だが、それにブルーのリボンがかけられ、周りの建物から浮いた、もうひとつ別の世界が現出している。

マンションやビルの改装工事、改修工事。足場が組まれ、建物が包まれる。住居、オフィスビル、商業施設といった具体的要素は包み込まれ、抽象的な立体が出現する。名古屋市内の放送局のテレ

リボンのかかったフォトグラファーズ・ギャラリー（ロンドン、コヴェント・ガーデン地区、撮影：著者）

名古屋市のテレビ塔、工事用の覆いの位置がずれていく。左写真には二羽の鳥が写りこんでいる。（2018年冬。撮影：著者）

ビ塔も工事で抽象に変わる（37頁）。

さらに覆われた公共施設。それでなくとも起伏やデザインを前面に押し出す種類の建築物ではないが、覆われることでさらに個性がなくなる。貨物列車からコンテナへというかたちにも似ている。

モーリス・ド・ブラマンク（一八七六―一九五八）はよく雪に覆われた街を描いた（39頁）。普段、街は建物、通り、人などと具体的な構成要素から成り立っているし、それらがそのまま目に入って来るのだが、雪に覆われると一面の白、ないし灰色に景色が変わり、その単一な色彩が人を抽象的世界に誘う。

夜の闇と並んで、雪は具体を覆う。「夜の底が白くなった」とは、川端康成（一八九九―一九七二）の『雪国』（一九三七）の冒頭の一文だが、このようにして自然としての雪は地形の具体を覆い隠す。

嶋村の目にした女性は客車の窓に映った姿であったので、より間接的ということになる。主人公は東京から旅に出る。旅は具体からの遊離。時に逃避。遊離や逃避を目指さずとも結果としてそうなる。具体から離れていると旅先で気づく。旅先の人々の具体はすぐには旅人に入ってこない。旅人と距離がある土地の人々の具体が旅人の具体となった時、旅は旅でなくなる。川端の時代、現在進行中のリゾートマンションの栄枯盛衰など人々の視野になかった。

谷崎潤一郎の『秘密』（一九一一）の主人公が反復する人力車での小さな旅でも同じこと。主人公の浅草雷門からの小さな旅は、目的地にいる相手の日常を見た時点で終わる。

雲は山々という具体を覆い隠す。地形という具体を雪、雨、雲が抽象化する。

強い雨は人の目の前で厚いカーテンのように自然を覆いさえする。雨は夜の闇とあいまって永井荷風（一八七九―一九五九）の『濹東綺譚』（一九六四）の独特な雰囲気をつくる。これは後に映画で確認したい（180頁）。吉田健一（一八七九―一九五九）の『金沢』（一九九〇）の主人公は、「あいにくの雨で」という店の主人のことばに「そうでしょうか」と答え、雨を礼賛する。

『パリの巡り逢い』（一九六八）、『男と女』（一九六六）、『白い恋人たち』（一九六八）は削ぎ落とされた表現による洗練された一九六〇年代の映画作品。この三作のなかでは舞台が雪に覆われている『白い恋人たち』がもっとも抽象の度合いが高い。しかしもうひとつ奥があり、この三作を実際に映画館で観た者は、映像よりさらに抽象度の高いフランシス・レイの音楽で記憶しているという場合が

雪が「具体」を「抽象」へ、やがて家々は雪によらずとも「抽象」へ

モーリス・ド・ブラマンク「雪の洗濯場」 1913年　油彩／カンヴァス
パリ、個人蔵（パリ、ラ・プレジダンス画廊協力）

多いのではないか。細部を忘れているのに音楽で記憶しているという作品。香港の映画監督ウォン・カーウァイ（一九五八―）の『恋する惑星』[4]（一九九四―）がママス・アンド・パパスの「カリフォルニア・ドリーミング」（一九六八）という歌で記憶されているというのに似ている。

音楽と映像では抽象の度合いが違う。『ルネサンス』（一八七三）や『エピキュロスの徒、マリウス』（一八八五）などの著者でイギリスの学者ウォルター・ペイター（一八三九―一八九四）の、すべての芸術は音楽に憧れるという趣旨のことばを想い起してみる。興味深いことにペイターは学究生活をイングランド、オックスフォードでおくり、研究対象のイタリアに出かけたことがない。同時代の現実に、よく言えば邪魔をされず、悪く言えば無関心のままに時代と地域を限定して研究をした。マイケル・オンダーチェ（一九四三―）に『イギリス人の患者』（一九九二）という小説がある。主人公が書斎派の学者にひと目、現地を見せようと奮闘するエピソードを読むとペイターを思い出す。

白を着る人がいる。医師、看護師など病院のスタッフ。白という色がその役割を象徴し、かれらを日常から切り離し、抽象的な存在にする。制服は個人を抽象化する。学生服、作業服、スーツなどは、個人の顔をしばしば包み込む。制服を着た個人の顔は覚えにくい。着る側からすれば、個人として記憶されることを望んでいないのかもしれない。JR品川駅のコンコースを通るたびに、そこを川のように流れるスーツ姿の人々を見て、つくづくそう思う。制服と私服。この議論はシヴィリアン・コントロールの話にもつながる。

職業について具体と抽象を検討すると際限がなくなる。手を動かす仕事と頭を働かせる仕事に分類しがちだが、どの仕事も手と頭を使わなければ進まない。ブルーカラーとホワイトカラーという区別がどこまで通用するのかもあやしい。ホワイトカラーと形容される職業、現時点で一見すると抽象度の高いとみえる分野を扱う職業が、将来、ＡＩにとって代わられるということもあるかもしれない。いずれにしても、職業の変化、モノの変化をわれわれは日々経験している。かつては人力車があった。それがタクシーとなった。いま、人力車は観光地や博物館でしか見られない。スーパーマーケットのレジ係も減った。客は自分で機械を前に支払いをする。農業も畑に加え工場生産が増えた。マニュアルのある職業が減っていく。一見、マニュアルのない職業、画家、音楽家などは、そもそもそれほど多くの若者が目指す職業でもない。趣味にとどめておくようにと説得する親も少なくない。

夏は具体の季節。暑い。水に飛び込む。水という自然そのものとじかに接する。夏は木々が生い茂る。林に入る。森に入る。人と木々の間に介在する人工はない。人は草木に触れ、土の道に触れ、なによりも都会のそれとはことなる空気を体内に入れる。冬は少し違う。雪が大地を覆い、白い抽象世界をつくる。木々は枯れる。人はしかたなくもみの木を切り、春の再生を願い装飾を施す。七夕の竹とはことなり、もみの木はこってりしている。こってりとかざりつけられる。そうであればこそ、反対に単色の電光のシンプルなクリスマス・ツリーが、その抽象性の故にしばし人目をひく。

冬は抽象の季節だ。抽象とは脱自然でもある。

韓国映画『春夏秋冬、そして春』（二〇〇三）にも夏の具体と冬の抽象がみてとれる。

夜の闇と雨が相まって人を日常から引き離す。それは映像でも同じこと。香港の映画監督ウォン・カーウァイの傑作『花様年華』（二〇〇〇）では、時に夜の闇と雨が主人公のトニー・レオン（一九六二―）とマギー・チャン（一九六四―）を覆い、かれらを現実という具体から引き離す。かれらの後ろ姿の映像も人の身体の具体である顔を覆うということに繋がっている。

吉田修一（一九六八―）原作の映画『パレード』（二〇一〇）の犯人はかならず雨の日に犯行におよぶ。舞台は千歳烏山と新宿だ。

闇が覆う。雨が覆う。雪が覆う。その延長上にあるのが、芸術。なんでもかんでも包んでしまう。

われわれは持ち物を運ぶ。風呂敷や鞄は、モノをまとめてしまうだけでなく、モノの具体性を一時消し去って、運搬というただひとつの目的を追う。もとより鞄にもデザインはある。持つ人を引き立てるという役目も担っている。しかし第一義的には運搬が目的で、装飾品であることは二の次だ。風呂敷はもっと大胆だ。なかに包むモノの大きさによって風呂敷自身も大きさを変える。小さなモノを包むことも大風呂敷となることもできる。そこに風呂敷の柔軟性がある。この柔軟性こそ、人はいかに生き残るかという問いの答えのひとつだ。ただし中身は見せない。

箱と移動、路線の抽象

コンテナはどうであろうか。その昔、貨物列車というのが日本にもあった。無蓋車、タンク車、冷凍車、家畜車、貨物車、そうした車両がつながれて機関車に牽引されている。子どもは次々と目の前を通る貨車の種類を確認したものだ。埼玉県大宮、今はさいたま副都心となっている場所には操車場があって、蒸気機関車によって貨車の入れ替えが行われていた。もっともタンク車というのは今でもある。タンク車はいくつもつながれてゆっくり、ゆっくりと機関車に牽引されている。他の貨車はというと、これはコンテナに取って代わられた。貨車がコンテナというかたちに抽象化された。

コンテナよりも先に、中を見せないという意味で抽象に向かったのはトラックだろう。トラックの荷台の中身はシートを被せれば見えない。もとより引越業者のトラックは、中の家財道具、家具の類を見せることはない。

そもそも引越というのは、具体的な荷物をまずはダンボール箱に収め抽象化する。搬入先でそのどれも同じダンボール箱を開き、再び具体的な荷物を出し、人は改めてモノに囲まれた生活を始める。

新幹線と在来線。このふたつにあっては、新幹線のほうがより抽象的、在来線のほうがより具体的ということになろう。在来線の各駅停車は、ひとつひとつの具体的な駅に停車し、乗客はその土地その土地の姿を実感しやすい。他方新幹線は、のぞみなど、東京駅を出て品川駅、新横浜駅を出たあとは名古屋駅まで止まらないから、乗客はその間の具体をただ車窓という枠の中の映画のようにしか経験しない。リニア・モーター・カーともなれば、その車窓にすら景色が映らず、乗客はただ移動という実態のみを経験する。飛行機に至ってはなおさらだ。離着陸時の低空飛行のときだけ乗客は窓の眺めを楽しむことができる。そう考えると、列車の旅が一般化したとき、人々は車窓の眺めという娯楽も手にしていたことが改めてわかる。

戦後、日本のいたるところに鉄道網がはりめぐらされた。それが今や廃線の時代に入って久しい。伊能忠敬（一七四五―一八一八）の時代に鉄道はなかったが、日本を具体的に歩き地図で抽象化した伊能であれば鉄道をどう表現しただろうか。

地方の鉄道が廃線となる一方、大都市の地下鉄はさらに総延長を更新し続けている。地下鉄は車窓の風景を無視したものだから、リニア・モーター・カーのように駅と駅を点で結べば、それで路線図ができあがる。駅と駅の間の線路の長さは路線図の各所で実寸の縮尺が活きているわけではない。大事なのは位置関係だ。

ウォン・カーウァイの近未来映画『２０４６』（二〇〇四）に至ってはその位置関係も示されず、列車がただ走っている。もとより模型をつかっての撮影であろうが、人の移動がとどまるところを知らぬものという感覚がよく表現されている。

他方、アートのほうからも路線図のような抽象に向かう画家が出てくた。先に触れたモンドリアンだ。デパール街のかれのアトリエは実にござっぱりとした実験室のよう。「ニューヨークシティ」（一九四二）、「コンコルド広場」（一九四三）、「トラファルガー広場」（一九四三）などは都市の抽象性を煮詰めた作品だ。モンドリアンの作品群を見ていると、それがこの都市のストリートとアヴェニューに呼応していることも、さらに、そうした通りの下を通っている地下鉄にも呼応していることもわかる。

およそニューヨークのような都市は具体的描写から抽象的描写まであらゆる手法の対象となりうる。日本で富士山が幾多の手法の対象となるのとはまた別の意味で、人工都市ニューヨークを描く手法の数は際限がない。だからニューヨークについての情報だけを集めた書店にも需要があり、いくつものニューヨークの表象が売られている。書籍、絵画、絵はがきなど。ロンドンになると狭い都市なので、ロンドンの専門店というものはないが、ロンドン博物館の売店、各書店内に設置されたロンドン・コーナーには、これまた一回の訪問では全体像のつかめぬほどの書籍や写真集がおいてある。

地下鉄路線図は都市の具体からさまざまな要素を削ぎ落としてでき上がった抽象画だ。ニューヨークをモチーフにしてできあがったのが、ニューヨークの地下鉄路線図、東京をモチーフにしてできあがったのが、東京の地下鉄路線図[6]。都市は地下鉄を欲しがる。通勤ラッシュ解消という具体的問題の解決という動機の背後には、地下鉄がないと大都市らしからぬという動機すら見え隠れする。

地下鉄が世界で最初に通った都市ロンドンの地下鉄路線図は、改訂に改訂を重ね、今日のかたちに辿り着いた。よりわかりやすく、より美しくということを追究すると抽象的になるというよい例だ。もっとも美しいだけでは用をなさない。駅ごとの位置関係が正確であることが必要だ。ただひとつ犠牲になるのは、駅と駅の距離で、これは定規で測って実際の距離を出せるようには描かれていない。路線ごとに割り振られた色も恣意的なもので、実際にその色の電車が走っているわけでもない。ただし、後発の地下鉄を持つ都市には、電車の車体の窓の下の帯の色と路線の色とを一致させているところもある。どれだけの人がその色を当てにしているかはともかくとして、名古屋市の地下鉄で車両と路線図の色の一致に気がつくまでにはそれほど時間がかからない。

ロンドンの地下鉄路線図は芸術作品の域に達している。しかも実用的と言う意味で、二重に貴重だ。ところが、ロンドンの地下鉄路線図から実用的という部分を取り去った作品がある。名古屋市美術館所蔵のサイモン・パターソン（一九六七—）の「大熊座」（一九九二）という作品だ。遠くから見ると一見、それはロンドンの地下鉄路線図だが、近づいてひとつひとつの駅の名前を確認すると、俳優や学者など実在の人物の名前に置き換えられている。現実のロンドンという具体、そこから造り出された地下鉄路線図という具体と抽象のアマルガム、さらに具体を取り払って別の抽象を織り込むという示唆に富んだ作品だ。

五つの名詞

抽象とは何だろう。たとえば英文法の五つの名詞の一つ、抽象名詞の定義から字義通りに理解するアプローチがある。

まず、名詞はふつう五つに分かれる。特定の人や物の名前にあたる固有名詞。自分の名前は固有名詞だ、と覚える。夏目漱石と遠藤周作もカズオ・イシグロもすべて固有名詞。東京、名古屋、大阪、長崎、北京、シンガポール、クアラルンプール、香港、台北、バンコク、ジャカルタ、ホーチミンシティーなどもすべて固有名詞。ウィリアム・シェイクスピア（一五六四―一六一六）の作品名には『ロミオとジュリエット』（一五九六）、『リア王』（一六〇五）、『リチャード三世』（一五九三）など固有名詞が多いという言い方をすることもできる。

組織のなかで固有名詞を明らかにするか、しないかは重要な事柄だ。人事の発令前には箝口令がしかれる。人の名を特定してはやっかいな場合、「あの人」とか「だれかさん」とか、そこのところを空欄にして、あるいは匿名にして話を進める人もいる。今に始まったことではない。

一九七〇年代に、イギリス、ヴィクトリア朝作家チャールズ・ディケンズの『辛い世』（一八五四）

という作品を読んでいたら、人の名を特定してはいけない、「ある個人」と言うように、という発言にぶつかった。ビッァーという若い男がスパーシット夫人に自分の周りにいる人たちのことを告げ口しようと固有名詞を出す。すると夫人は名指しはいけない、ある人（an individual）と言いなさいとたしなめる。これで個人が特定できなくなったのかというとそうではない。ふたりはだれのことを話しているか互いに承知の上。ただ、軽くなるのは人の悪口を言っているという負担だけ。

次は普通名詞。かたちをそなえた個体に共通の名を表す語だ。一定のかたちをなしていない水などは、含まれない。少女とか猫とか、具体的な存在を指す。本書でこれからモノという表現を当てる対象は普通名詞や次の物質名詞であることが多い。机、書棚、家などすべてモノであり、普通名詞だ。

次の集合名詞はすこしややこしい。集合体を表す名詞だ。国民、民族、会社などがそれにあたる。モノではない。

そして物質名詞。文字通り物質の名前を表す。水、米、金などすべてそうだ。

ここまでの固有名詞、普通名詞、集合名詞、物質名詞をまとめて具体名詞または有形名詞という。目に見えたり、手で触れたりできる。ここが本書では重要になる。

第五番目の名詞、抽象名詞は、他の四種類の名詞とは別に、無形名詞と呼ばれたりもする。抽象名詞と分類される対象は目に見えない、手でふれることもできない。しかしこれがものを考えるうえで、たいへん重宝な品詞[7]となる。

第一章 脚注

1 **ケンブリッジ大学**　オックスフォードやケンブリッジといった大学のありようは、日本の戦後の大学のありようからはほど遠い。大学は今後、ますます通信教育的要素と演習形式との二本柱体制に移行する可能性を秘めているので、大学町にまるごと身体をひたすという映画『アイリス』（二〇〇一）に描かれているアイリス・マードック（一九一九—一九九九）の大学生活のような世界から離れていく。

2 **『小説とは何か』**　通読するのに時間のかかる本ではないが項目だけ拾うと「ストーリー／登場人物／プロット／幻想／予言／パターンとリズム」などとなっている。実作者ならではの、肩の凝らぬ解説だ。

3 **アーサー王の時代のすぐあと**　「生き埋めにされた伝説：ヒストリーとストーリーの狭間のイングランド黎明綺譚」（「カズオ・イシグロの世界」『ユリイカ』、二〇一七、二〇三—二一三頁）で伊藤盡が詳しく時代考証をしている。

4 **『恋する惑星』**　撮影はクリストファー・ドイル。チリ、サンティアゴを舞台とした『エンドレス・ポエトリー』を撮った人物だ。

5 ところがここにおもしろいことがおこる。どれもこれも同じ姿をしたコンテナ、没個性のコンテナに個性を与えてみようと、現役を引退したコンテナを物置とし、さらにそれに色を塗る。岩野勝人（一九六一—）の「コンテナ・アートベース」では、子どもたちが壁面に絵を自由に描ける（「めぐりアート静岡2018」http://mégururinet/6th/artists/iwano）。没個性な抽象的モノと化したコンテナにもう一度具体的な色を与えよ、という発想だ。

6 **東京の地下鉄路線図**　『楽しい路線図』（井上マサキ著、グラフィック社、二〇一八）といった本もある。

7 江川泰一郎著『英文法解説』（金子書房、一九九一）の用語を使用。高校生、大学生、さらに卒業後も、その詳しい解説は英語理解の出発点となる。

第二章　作家と作品の部屋——チャールズ・ディケンズの具体

不条理と観察

ここではチャールズ・ディケンズの作品の〝具体〟をみていく。入門は楽しくありたい。人生の入門期である子ども時代が、いじめや虐待で始まるのではなく、親やまわりの人々の愛情で始まったほうがよいように。

文学は楽しみを提供する。ディケンズの楽しみは具体の世界だ。ディケンズはユーモア作家という評価があるものの、世の中のすべてが楽しいことで成り立っていないのと同様、かれの作品もまた楽しいものばかりではない。お上品で本質に迫ることを回避しがちなイギリス、ヴィクトリア朝に生きた作家ディケンズの作品にも、目を覆いたくなるような社会の惨状を描いた箇所が多々ある。まずはディケンズが見た不条理、当時の社会状況を知り、その先の楽しみへと繋げる。

世は不条理に満ちている。食を削ってがんばっても報われず、たいした努力もしない人が成功する。だれしも知っているこうした不条理だが、大人になると憤りが薄らぎ、そういうこともあると諦めの境地になることもある。その諦めがまた次の世代に不条理を持ち越す結果に繋がれば、多くの人が負のスパイラルから抜け出せなくなる。

富の偏りが目に見えてきたイギリスの十九世紀に生きたディケンズは、そうした不条理を日々目にしていた。いや、目にするなどという悠長な立場で社会を観察していたわけではなく、自分もそのスパイラルに巻き込まれたことに幼くして気づく。悪いことに、原因は父親と母親にあった。社会の見えざる、匿名性の高い力で自分の不運な境遇が定まったのではなく、父親の乱費と母親の配慮のなさにより、ディケンズは学校教育を現在の小学校高学年くらいまでで終えることを余儀なくされ、働きに出た。

楽しい入門を目指す本稿で、この項の主人公ディケンズの少年時の薄幸に触れざるをえないのは残念だが、避けてとおれない。ところがここにひとつ救いがあった。自分が学校に通えず、その働いている姿を同年代の少年に見られたくないと思うなど、さまざまな苦労をしたディケンズではあったが、不利な条件を克服してイギリス第一の文豪に成長した。

不幸な境遇の少年が不幸な生涯をおくった。これは十九世紀にいくらでもあったことだろう。二十世紀や二十一世紀では、状況はさらに悲惨かもしれない。ところがディケンズにあっては苦労が実を結んだ。苦労が苦労でなくなった。少年時代に見聞きしたもののすべてをいくつもの小説に注ぎ込み、ひとつの膨大な世界、大げさに言えば宇宙を完成した。少な目に見積もってもディケンズ・ワールドを作り上げた。

ディケンズの親がもうすこししっかりしていて、少年ディケンズを働かせるなどということがなかったら、ディケンズは、作品に登場する数々の中産階級の人々と同様に、ロンドンの郊外に住み、ロンドンに通い、判で押したように帰宅し、暖炉にあたり、人知れず、この世を去ったことであろう。『大いなる遺産』（一八六〇）のウェミックなどそうした人物の典型だ。それもまた生き方。ディケンズもそうした生き方を肯定しているように見える。しかし、そうであったら、ディケンズの作品も、ディケンズの世界もわれわれの手元には残らなかった。苦労があってはじめて作品が生まれる。これはどこの国の作家にもつきまとうパラドクスだ。苦労なきところに作品は生まれない。

ディケンズは自己実現をした、それが簡単な話ではないことを示すため、少年時代の多々ある苦労のなかから一点だけ触れておく。実は、ディケンズの父親は出費がかさみ、当時、ロンドンにあった負債者監獄というところに入ってしまった。家族も一緒だ。そこで年長の少年チャールズだけが、下宿住まいをし、職場に通った。仕事は単純作業で、技術が習得できるわけでもない。そんな作業に明け暮れながら、ディケンズは未来に大いなる不安を感じていた。今の日本で大学生が二十歳を過ぎて、さあ、どこに就職し、どのような人生を歩もうかと考えはじめるような余裕はなかった。まさしく小学校の高学年の歳で世の中に放り出されてしまった。

多くの人が、当時、このような挫折にのみこまれてしまったはずだ。ところがディケンズは諦めなかった。ここで人生を投げなかった。投げずにいたら、なんとかなった。かれは速記の学習を始めた。裁判所で速記を使い取材した。最初に放り出された世間で人々を観察し、今度は速記という描く手段を身につけた上で、裁判所でまた多くの人を観察できた。

観察は作家にとって重要な営みだ。たくさんの人々を観察したディケンズのような作家もいれば、自分の家族と近所の人々のみの観察に終始したジェイン・オースティン（一七七五―一八一七）のような作家もいた。数の問題ではない。

ディケンズにとっては最初のアルバイトのような職、二番目の速記者という職のふたつが大きな意味をもっていた。端折っていえば、職場の観察と速記の技術が相まって作家ディケンズをつくった。「楽しみ」に主眼のある本章でも、おりにふれディケンズの苦労にもふれなければならないが、人生は最期になってみなければわからないという意味で、ディケンズの苦労は実を結んだのだから、われわれ読者はその事実を楽しんでよいのではないか。ディケンズの生涯については後続の章や年譜で必要最低限触れるにとどめ、作品の一覧を掲げておく（56頁参照）。ディケンズの作品の年譜を見て驚くのは、ごくたまに日本人の知っている『クリスマス・カロル』という作品は、初期の中編にすぎなくて、本当のディケンズ世界は別のところにあるという点だ。

ディケンズ作品の衣と食

ロンドンの冬は暗い。イギリスの夏は夜の九時近くまで明るいが、冬は三時を過ぎると家路に急ぎたくなるほど暗い。そこで夏の五月から六月の晴れた日になると、なんとか身体を陽にさらそうと、ウォレス・コレクションという美術館の芝生に女性がミニスカートで繰り出すといったことになる。冬は暖色がますます目立ち、色鮮やかな遊園具が登場する。映画化された文学作品の映像を見ると、ジェイン・オースティンの作品の舞踏会の場面などにも、洒落た服を着込んだ若者たち[1]が登場する。

ディケンズの衣食住というテーマで作品を追ってみよう。最初は衣。それも男性の衣。ディケンズには『荒涼館』という見事な作品がある。「かれは」どうした、「かの女」はどうしたという具合に三人称を用いる語り手と、「わたし」はどうした、「わたし」は何を見た、という具合に一人称を用いる語り手が出てきて、ほぼ交互に作品を進めていくという趣向で、物語ることにも読者の注意を喚起する作品だ。タイトルは荒涼館という屋敷の名前[2]。

『荒涼館』の一人称の語り手は、作品中の主人公のひとりである若い女性で、名前をエスタ・サマソンという。申し分のない性格で、まじめこの上

❖ディケンズの主要な作品

『ボズのスケッチ集』(1836年)
『ピクウィック・クラブ』(1836—1837年)
『オリヴァー・トゥイスト』(1837—1839年)
『ニコラス・ニクルビー』(1838—1839年)
『骨董屋』(1840—1841年)
『バーナビー・ラッジ』(1841年)
『マーティン・チャズルウィット』(1843—1844年)
『クリスマス・キャロル』(1843年)
『ドンビー父子』(1846—1848年)
『デイヴィッド・コパフィールド』(1849—1850年)
『荒涼館』(1852—1853年)
『ハード・タイムズ』(1854年)
『リトル・ドリット』(1855—1857年)
『二都物語』(1859年)
『大いなる遺産』(1860—1861年)
『互いの友』(1864—1865年)
『エドウィン・ドルードの謎』(1870年)

なく、ときにそのまじめさがやりきれないという読者もいるが、まじめにやって不幸になるという結末の作品よりはよほどよい。エスタとともに最初から登場する人物にエイダとリチャードという若者がいる。エスタは荒涼館という屋敷の管理を任された働き者だが、エイダやリチャードは勤労意欲に欠ける。とくにリチャードは、ある訴訟の関係者で、その訴訟の流れしだいでは自分に大金がころがりこんでくると考えているから、就職活動に身が入らない。

牧師は向かない、船乗りもだめと、職業訓練を先延ばしにするが、とうとう後見人のジャーンディス氏のはからいなどもあってか、バジャー氏という医師のもとで修行をすることになる。ところがここでもリチャードの地が出て、進展の兆しはない。さてエスタが修行中というリチャードに会うと、洒落たチョッキを着込んでいる。あらどうしたの、とチョッキに話をもっていくとリチャードはこう答える。バジャー医師に払う予定の学費のうちの八ポンドでチョッキを買ってしまったという。しかももう医者修行はやめたという。エスタがあきれると、リチャードは言う。バジャー先生のところに通い続けると十二ポンド支払うことになる。ところがチョッキは八ポンド、のこりの四ポンド儲かったのだ、と。原文で確認しておこう。

'My jewel of dear cousin, you hear this old woman! Why dose she say that? Because I gave eight pounds odd (or what ever it was) for a certain neat waistcoat and buttons a few days ago. Now, if I had stayed at Badger's I should have been obliged to spend twelve pounds at a blow, for some heartbreaking lecture-fees. So I make four poiunds – in a lump – by the transaction!'

(『オックスフォード・イラストレイティド・ディケンズ』所収『荒涼館』二〇二頁、オックスフォード出版局)

顔が蒼白になるというか、ことばが出ないというか、このリチャードの言い方をここでは〝リチャードの論理〟と名付けておこう。もちろん論理などないのだが、リチャードは論理だと思っているのでそう名付ける。つまり本人だけ納得していて、まわりはみな気づいている怪しげな理屈ということだ。エスタはリチャードに何度も、それはおかしいと繰り返す。しかし結局、リチャードにはわかってもらえなかった。こういう話は世の中にときどきある。下手をすると、個人がそういう論理に凝り固まるのではなく、組織全体がこういう論理に凝り固まっていることもある。リチャードの場合は物語の世界、フィクションの世界だから読者はこのやり取りを楽しめば足りる。しかしたとえフィクションとはいえ、その後、リチャードを待ち受けていた運命は過酷だった。結末の披露は控えよう。ただ、リチャードの論理のようなもののおもしろさ、おかしさにひかれるタイプの読者はディケンズの作品を読むことがやめられなくなる。次はどんなおかしな論理をつかう人物が登場するのやらと、頁をめくり、笑い、また頁をめくることになる。その楽しみに至る前までが、おそらくディケンズ読解の難関だろう。これがカフカとかドストエフスキーといった作家の作品になると、まるでサビから始まる曲にも似て、作品世界にすぐに入っていける。ところがディケンズはじめイギリス文学の作品というのは、そこに至るまでの助走がやや長くかかる。

食の具体はディケンズの作品中いたるところに見られる。イギリスでディケンズの作品に出てくる食べ物のレシピをまとめた本さえ出ている。ただ、ディケンズ作品の食べ物は、紀行風土がことなる日本で食べるより、イギリスで食べたほうが、おいしいのであろうと月並みな感想に落ち着く。

伝記的事実を確認しても、ディケンズの父親は家に人を呼んで宴会をするのが大の楽しみであったというから、いかに父親から多大な被害を受けていようとも、息子にその痕跡が何らかのかたちで残ったというのも自然なことだ。

イギリス文学の住いと間取り

衣食ときたので、次は住だ。ありがたいことに、ディケンズが二十代の作家として世に出るころに住んでいた家が、今、ロンドンにディケンズ・ハウス（48Doughty Street）として残っている。借家だったが、地下一階、地上三階、屋根裏部屋からなる当時のロンドンの典型的な住宅だ。ただし間口は狭く、裏庭も簡素だ。過密都市はどこも事情が同じで、縦長の家がぎっしりとつまっている。

ロケーションは便利なところで、ヒースロー空港からのエアバスの終点のひとつラッセル・スクエアからそれほど離れていない。大英博物館やロンドン大学の建物からも歩いて行ける距離だ。ハウスのすぐ近所には雑誌『スペクテイター』（一九九九年創刊）の編集室があり、訪ねると、気前よく過去の雑誌記事を読ませてくれた。

ハウスのなかには、文学館の常で、作家の使用した机、作家の原稿などがある。地下室は研究者用の資料室になっていて、ヴィクトリア朝のディケンズの活躍した時期のロンドンの写真などを見ることができる。著者がそこで写真類を見たのは一九九〇年代のことで、それこそセピア色の写真が無数にあった。当時そこを管理をしていた若者は、アルバイトであろうか、日本ではディケンズで食べて行けるのかという趣旨の直截的な質問をしてきた。とっさの質問に、文学はもっとも洗練された言語構築物だから英語の勉強にとても役に立つ、などといった科白が出てこないでその場は終わった。しかし、三日と空けず地下室を利用していたら、やがて、いろいろなことを教えてくれた。そうこうしているうちに、まるでディケンズの作品から出てきたような若い研究者と接するようになり、こちらはこちらで、かれらの職の未来に思いをはせたものだ。ひとり『トリストラム・シャンディ氏の生活と意見』（一七五九）を書いたローレンス・スターン（一七一三―一七六八）を研究しているという若者がいて、ロンドン大学のユニヴァシティー・コレッジの講堂で行われた『オリエンタリズム』（一九七八）の著者エドワード・サイード（一九三五―二〇〇三）の講演に一緒に出かけたが、サイードの講演は、語りかけるというよりアジテーションのスタイルで、いろいろな講演があるものだと思った。スターンのかれが今どうしているか、ときどき思い出す。

ロンドンの文学館と言えば、ほかに『英雄崇拝論』（一八四一）を書いたトマス・カーライルの家。漱石が作品に仕上げている。『英語辞典』（一七七五）の編纂者ドクター・（サミュエル・）ジョンソンの家、『ユートピア便り』（一八九〇）を書いたウィリアム・モリスの家、ファニー・ブラウンへの『ラブ・レター』（一八一七）を書いたキーツの家などがあり、それぞれ住人の個性をよく反映するようにつくられている。ベイカー・ストリートにはアーサー・コナン・ドイルの作中人物シャーロック・ホームズの家まである。かれは実在の人物ではないから、作品の記述から再構成した家だ。タヴィストック・スクエアに面したヴァージニア・ウルフの住居は文学館のかたちではなく、ロンドン大学のオフィスの一部になっている。

家の何がおもしろいか、楽しいか、と言えば、作家が経験した空間認識を共有できることであろう。人の生活の延長に住む家があるなら、どの家に住んでもおなじという考え方も成り立つことも承知の上で、なお、家のありように拘ってしまう。作家が住むくらいのロンドンの家はけっして広いとか豪邸とか言えないので、この狭い空間、この狭い書斎で全世界とまではいわないがロンドンやイギリスを見据えていたのかと思うと、それはそれで感慨深い。古い家など二百年近く昔のものもあろうから、壁の裏はさぞや黴が、などと考えるだけでも、なにがしかのヒントにはなる。

作家と違い建築家、とくに著名な建築家の家はそれだけで、立派な博物館という様相だ。今、念頭にあるのは、これもディケンズ・ハウスから遠くないサー・ジョン・ソーン博物館。この家の主は、十八、十九世紀に活躍した建築家で、ギリシャやローマの彫刻の類を収集し、家のなかに飾った。またイギリスの画家ホガースの絵画なども集めていて、この家で見ることができる。

これも年譜で確認したい作品だが『大いなる遺産』の冒頭などは、サティス・ハウスという家が主人公のひとりであるかのごとく進み、実際に作品のヒロインのエステラに案内でもされているような気持で、再現された婚礼の宴の間に入ったことをおぼえている。そのどこが楽しいかと問われると答えに窮するが、日本で作品に触れていて実際のモデルとなった家を見学すると、大げさに言えば、文字と立体空間との出逢いによる一瞬の覚醒のような現象がおこる。そしてそれ以前の、そしてそれ以降の作品の把握と空間見学とが一体化するような気がする。賃貸住宅を借りる時に物件を内見しそこに住む未来の自分の想像するように、作家の家では作家の過去を想像する。

作家の家を訪ね歩いているうちに、なんとはなしにイギリスの家の間取り、家の具体がわかってくる。ディケンズ・ハウスとシャーロック・ホームズの家の共通点が理解できるようになる。かつてヴァージニア・ウルフの住んだ家も、その外から見たときの狭さから、だいたいこんな生活をしていたのかとわかるようになる。

ヴァージニアの知人で、世紀末から二十世紀を生きたエドワード・モーガン・フォースター（一八七九―一九七〇）に『ハワーズ・エンド』（一九一〇）という家の名前を冠した作品がある。ヴァージニアには『私だけの部屋』（一九二九）というエッセイがあり、女性の独立には自分の空間とお金がどうしても必要だと説いた。男性にも女性にも部屋が必要なことは言うまでもない。また、『ハワーズ・エンド』（イギリス・日本、一九九二）という映画を見ると、ヴァージニアと姉のヴァネッサの住んでいた家の輪郭がわかっておもしろい。かの女たちの両親は亡くなっていたので、二人の住居にケンブリッジ大学を卒業した若い男性たちがよくやってきて文学談義に花を咲かせていた。ディケンズの生きていたヴィクトリア朝の基準からいえば、若い男女が、年長者の同席なく自由にひとつ屋根の下に出入りしていたなどということはあるまじきことだったので、一八七〇年に亡くなったディケンズから下ること約三十余年後、時代は二十世紀に入り、常識も大きく変わった。

もうひとつ間取りについて知る方法がある。実際に不動産屋を訪ねて内見させてもらうことだ。在外研究のおり、親切なかたから、代々日本人が借りて次の日本人に紹介しているという物件をどうかと勧められたことがあった。ありがたいことには違いないが、そうするとそこに滞在した何人もの日本人は、こと家に関するかぎり、同じ印象をもって帰国することになる。それでは意味がない、と深く考えたわけでもないが、自分で不動産屋に入ってみた。インターネットのない時代で、二十軒ちかくを内見した。苦労の甲斐あって、なんとかアコモデーションを確保できたということのほかに、ロンドンのフラットの内部をいくつも見るというおまけがついた。外国のことは衣食住を知ってはじめて少しわかる。あとはお金の流れ。住とお金がいちばんわかりにくいが、そのうちの住に少しは理解が及んだ。もっとも今、ロンドンの豪邸の写真集など見ると、なにもわかっていないと自覚するところもあるが、そういう豪邸は日本でもわかっていない。せいぜい、かつて人の住んでいた豪邸に入場料を払って入るといったところだ。その程度の知識で小説は読める。ディケンズは楽しめる。

作品中で間取りを楽しむという経験を別の作家の作品で見てみる。『ロリータ』（一九五五）という作品でよく知られたウラジミール・ナボコフ（一八九九―一九七七）に『セバスチャン・ナイトの真実と生涯』（一九四一）という作品がある。これは作中人物V.が亡くなったセバスチャン・ナイトの足跡をたどるという物語で、主人公はなんとかセバスチャンの心の内を知ろうとする。そうしてセバスチャンの住居をたどっているうちにセバスチャンと同じ空間認識、ひいては心の有り様を経験するという話だ。われわれも作家の住居や文学館を訪問することで、この作品の主人公の境地に近いものに達することができるはずだ。

家が作品のなかで重要な役割を演じる作品をイギリス文学に探せば切りがない。小説の勃興期、ダニエル・デフォー（一六六〇―一七三一）の書いた『ロビンソン・クルーソー』（一七一九）の昔から家というテーマは重要であった。クルーソーが漂着した場所で最初に着手したのは、小さな砦のような家を建てることであった。小説とは場をつくること。家は場の基本だ。

安堵できる家とスラムと

作品のなかの住まいとその重要性については、現代にあってはカズオ・イシグロを読むと理解が進む。『遠い山なみの光』（一九八二）には家や部屋への言及が多い。『浮世の画家』（一九八六）は小野という画家の家の話でもある。多くの日本文学もまた家なくしては先に進まなかった。漱石、谷崎、川端、三島。みな家のからむ作品を書いた。『日の名残り』（一九八九）のスティーヴンスは主人の家、つまり大きなカントリー・ハウスのメンテナンスに一生を捧げた。『私たちが孤児だったころ』には、安堵できる家の理想が語られている。『わたしを離さないで』では、秘密めいた寄宿学校でさえ、かれら少年少女にはたいせつな家だったのだ。『充たされざる者』のピアニストはホテルの部屋で休息する時間もなく、諸事に悩まされる。『忘れられた巨人』の主人公の老夫婦は常に旅枕。目的地の島に着くことができるのか、というところで読者は置き去りにされる。

ディケンズの『リトル・ドリット』（一八五五）という作品では、父親のドリット氏が負債者監獄に入ったため、家族もそこに入る。なかでもそこで父親を支えるけなげな娘リトル・ドリットと呼ばれるエイミーは、何かにつけて苦労を一身に背負い込む。母親もかなりずれている、姉も贅沢に憧れるばかり、兄も駄目とあって、エイミーは苦労が絶えない。お針子をして生計をたてているが、家族がその収入で負債者監獄から出られる額でもない。

そのエイミーが負債者監獄の門限に間に合わず、門の外でいつも一緒に行動する娘と一夜を過ごすはめになる。経験してみて初めて夜の恐ろしさがわかるというものだが、描写は真に迫っている。ロンドンの冬の夕方は陽の沈むのが早く、中心部オックスフォード・ストリートも駆け足のように早く歩く、家路を急ぐ人で溢れる。とにかく早く家に帰りたいという気持がひしひしと伝わってくる。ロンドンで野宿をしたら、屋根の下で眠れることをどれほどありがたいと思うことであろうか。マイナスを経験したから普通の状態はプラスだと主張したいわけではないが、小説のなかで経験する野宿でも、ロンドンの野宿はそうとう迫力がある。

門を閉ざされてしまうという感覚、門前払い、いや、門前払い以前に排除されるという感覚は『大いなる遺産』のピップも経験するところだ。この作品は、先に触れたロチェスターという街のサティス・ハウスという家で老人の相手をするよう求められた少年の話で、ややわざとらしい筋立てながら、そこに通った少年がそれ以前にひとりの飢えた囚人に食料を与えたことから運命が変わるという、ごく初期の推理小説のようなおもしろさをもつ傑作だ。サティス・ハウスに老人といたのがエステラという娘で、少年は老人の画策によりエステラに恋をするようしむけられる。さらにひどいことに、エステラに焦がれつつも成就しないというのが老人の筋書きで、少年はかなわぬ恋に苦しむ。

話は進み、少年は見知らぬ人からの資金援助で紳士となり、ロンドン生活を謳歌する。そして青年となったピップは資金援助してくれた恩人の恩赦を願って、司法関係者の邸宅の前で逡巡する。その門を見ては、入ること、まして嘆願することなどかなわぬと嘆く。ディケンズにあってはロンドンの豪壮な建物も、怪物のように弱者に襲いかかる。

その『大いなる遺産』にジャガーズという弁護士が登場する。現在のロンドン、ソーホー地区の中華料理店の並ぶジェラード・ストリートに住んでいるという設定で、ピップの資金援助者とピップをつなぐ役割を果たしている。弁護士の事務所にひとりの書記がいる。名前をウェミックといい、とりたてて特徴のない男だ。ところがこの男、作品の後半で窮地に立つピップを陰に陽に助ける。そこはプロットそのものに関わるので未読の読者のため、触れずにおくが、この男の住居というのがやけにおもしろい。かれは事務所では仮面を被ったような顔をしているが、四十分も歩いて自宅が近付くと、顔が普通の表情になる。翌日、出勤する時、顔は徐々に仮面のようになっていく。都市にあっては仮面や制服（この場合はジャケット）によって、自らを抽象化し匿名化する。ウェミックの家はその描写だけでも一読の価値がある。

墓と阿片窟、不可視の場所

ディケンズの作品が十九世紀のイギリスの人々によく読まれた理由のひとつに、ディケンズが阿片窟はじめ、一般の読者が容易に出入りできぬ場所を描いたという点が挙げられる。ふたつばかりそのような場所を紹介しておこう。ひとつ目はディケンズの筆がもっとも冴えた時期に書かれた『荒涼館』から、二つ目はディケンズの絶筆『エドウィン・ドルードの謎』(一八七〇)から。

『荒涼館』はすでに紹介の通り、エスタ、エイダ、リチャードの三人の若者を主人公とする作品で、かれらが社会のどこに着地するか、または失敗するかが主筋だが、もうひとつ、デッドロックの奥方という謎めいた人物が登場し、この人をめぐる筋が最後まで読者を引っ張る。

デッドロックの奥方は名をオノリアといい名家の奥方だが、その過去が謎めいている。当家の顧問弁護士のタルキングホーンは奥方の過去をどうやら突き止めているようで、何かと圧力をかける。そしてタルキングホーンが殺される。読者はてっきりと思い込む。さてそのオノリアにはひとつ気になることがある。かつての男性ホードンという男の墓のある場所を訪ねたいという。しかし良家の奥方がそのままの恰好で出入りできるような場所ではない。そこでみすぼらしく変装し、その土地を訪ねる。するとそこには道路掃除の少年がいて、得意になってスラム街の中の墓を教える。ねずみが始終這いつくばる、汚れた不衛生な場所だった。

『荒涼館』に出てくるこの墓を案内する少年と奥方の場面はよほど後世のイギリス人の心に残ったのであろう。一九九〇年代初頭、ロンドンから列車で、ロチェスターという地方の町に出かけた。そこにディケンズ博物館があった。これは小さなテーマ・パークで、ディケンズの作中人物の姿が人形で再現されている。ロチェスターには『大いなる遺産』のサティス・ハウスのモデルとなった建物や『エドウィン・ドルードの謎』の主人公ジャスパーの住居のモデルとされる家もある。そのディケンズ博物館の中に奥方オノリアと少年の姿があった。等身大の人形の奥方の顔に女性の顔が映し出され、いきなり話し出す。作品中で実際にホードンの墓のあったとされる場所は、コヴェント・ガーデン地区の墓地で今も確認することができる。十九世紀当時は、一般人が行けるようなところではなかった。

　ロチェスターが出てきたところで、その大聖堂の聖歌隊指揮者を勤めるジャスパーの家と、かれが時々通う阿片窟[3]を見ておこう。ジャスパーの家は門の上にあって、その下を人がくぐり抜ける。その恰好がおもしろい。独身者としてひとりで住んでいるジャスパーがある娘に恋をし、少しずつ人生の歯車が狂っていく。ジャスパーには聖歌隊

ジョーと変装したデッドロックの奥方
出典：『荒涼館』（オックスフォード出版局）

指揮者に加え、もうひとつの顔があった。阿片吸飲者という顔である。『エドウィン・ドルードの謎』の冒頭は、それまでのディケンズの小説言語では書かれていないので、一瞬、どこかと思う。戸惑うのも無理はなく、ここに描かれているのは阿片窟でジャスパーが見た夢のなかの光景だからだ。これも一般の読者が入れない場所、経験できないことであろう。

ディケンズのロンドンを歩いているはずが、いつのまにか他所に目が移り、ディケンズから離れていくこともある。それほど、ロンドンは目に入って来るものがイギリスの他の町と違う。たとえば、ディケンズ・ハウスの壁に張り付いている陶板、ロンドンで目に付く建物壁に張り付いている陶板はいったい何であろうか。

これはブルー・プラーク[4]といい、その陶板

ブルー・プラーク（撮影：著者）

の張り付いている建物全体、あるいはその一部の区画にイギリスや外国から来た人々がかつて住んでいたということを示すもので、住んでいた年号が何年から何年までと記されているのが常だ。かれらは仕事柄ロケーションの便利なところに住んでいたから、ロンドンの中心部には、プラークが無数にある。

ロンドンを歩く、イギリス文学の具体を楽しむ

現地踏査が好きな人に、それに何の意味があるのかといくら問うても返事は返ってこない。反対に自室で読書に耽る人に、なぜ作品の舞台を見たいと思わないかと問うても、同様に答えは返ってこない。文学をめぐる趣味はきわめて個人的なものだ。そして個人的になれる、おそらく最後の場所が文学であろう。

すでに多くの地名に触れた。ロンドン、ケンブリッジ、ロチェスター、ケントなど土地の名前、コヴェント・ガーデン、ソーホーなどロンドンのなかの地区の名前。しばらく滞在するとケントやロチェスターなど小さくて全体像が把握できてしまうが、ロンドンはさすがに歩いても、歩いても理解がおよばない。地図の世話になる。二十一世紀の現代では方法がふたつ。スマートフォンやタブレットを使う方法と A-to-Z 地図を使う方法。

ディケンズのロンドンを歩く自分用の地図を事前に作ってみる。ロンドンで大事なのは道の名前

だ。これはA-to-Z地図にもれなく描いてあるから、地図作製の段階でも書き込んでおく。これで頭に入る。あとは当日、その地図をポケットに忍ばせ、通行の邪魔にならぬところで、ときどき確認する。これならば、スマートフォンを路上で盗まれることもない。A-to-Z地図を最初に考え作ったのはイタリア人の女性であった。『話を聞かない男、地図が読めない女』（アラン・ピーズ＋バーバラ・ピーズ著、主婦の友社、二〇〇〇年）という本があったが、この女性は地図をつくってしまった。イタリアからロンドンに渡ったかの女は、ロンドンの道が分かりにくいというので、一本一本、道を踏査し、ついにA-to-Z地図の原型をつくった。A-to-Z地図を眺めていると、地図でもっとも大事なのは、縮尺に忠実なことではなく、場所と場所の位置関係とわかる。

こうしてロンドンを歩く。ディケンズゆかりの地を前日にチェックし、地図も自分で描いたのに、当日、ひとつ目のディケンズのスポットからふたつ目のディケンズのスポットに行く途中で、もう、計画を変更させるような見ものが目に入ってくる。これがロンドンだ。ディケンズのロンドンが主、ロンドンという都市は従と考えていると、いつの間に、それが逆転する。しかし、そうやって都市ロンドンに慣れてくると、今度は、またディケンズはじめさまざまな人物の縁りの土地が浮き立ってくる。かれらの声を聴いてみたくなる。作品を読みたくなる。

偉人、才人にも日常はある。十九世紀までは大方の人々が馬車、バスや徒歩で移動した。そこでひとつの国の首都の、とある階層の人々の生活はおのずと似通ってくる。著者が言及してきたのは、ディケンズのような作家と似通った人々で、かれらの出入りする空間も似通っている。医師が多く住んでいる地域、作家やロンドン大学の関係者が多く住んでいる地域など、地域ごとの特徴が増幅され、ロンドン全体をつくりあげていく。東京二十三区にそれぞれの個性があるように、ロンドンの各地域も個性に事欠かない。ロンドンのどこを投宿先にしたかによって、その人のロンドン観も違ってくる。ちょうどカズオ・イシグロの通ったノーフォーク州のイースト・アングリア大学に勤めていたイギリス人女性作家アンジェラ・カーター（一九四〇—一九九二）が、かつて早稲田や京都に住んでいたことによって、その日本観が深く特徴づけられたように。ブルー・プラークは過去の著名人の住居で、将来著名人になるような人の家にプラークは付いていないが、そこでかれらが現在も高度な精神的活動に勤しんでいることに変わりはない。

抽象的内容を記した世界は存外理解しやすい。一方、日本にいてディケンズの作品を、ロンドンの具体を想像しながら読み進む場合は理解しにくい。しかしひとたびロンドンを足で巡り具体に触れると、作品はにわかにわかりやすくなる。

ロンドンを少し知ったところで、イギリスを知る楽しみに触れる。ディケンズは動きながら書く、旅をしながら書くというタイプの作家だった。ロンドン以外にもイギリスの多くの場所に足を向けた。アメリカにも二度、船に揺られて出かけた。イタリア各都市にもジェノヴァを起点に出かけた。ジェノヴァの細い道、迷路のような道のいくつもの記述は、ロンドンの遊歩経験と相まって、ディケンズの都市描写の原型とすらみえる。

「この世」を「住み」やすいと思ったら作家にはなれない。ディケンズも子どものころから人生の辛酸をなめてきたから、安住とはほど遠い生活をおくった。自分が書けなくなったら家族が路頭に迷うことを嫌というほど知っていた。そこで夜のロンドンを彷徨っては書き、イングランドの各地を訪れては書いていた。

そもそも最初の長編小説『ピクウィック・クラブ』（一八三六）というのが、行き当たりばったりとも見える旅の物語であった。バースにでかけたり、イプスウィッチにでかけたり。こうした都市はディケンズに早くから接するイギリス人の頭のなかに入っていて、ちょうど、日本人の読者が読んだ経験もないのに十返舎一九（一七六五―一八三一）の『東海道中膝栗毛』（一八〇二―一八一四）の「その手は桑名の焼き蛤」という文句を知っているようなものだ。

イギリスを旅する伴侶として楽しい作品としては、大部なのであらかじめコピーでもして持参ということになろうが、マーガレット・ドラブル（一九三九―）の『風景のイギリス文学』（研究社出版、一九九三）がある。旅と文学を上手く融合させていて、現地踏査を単なる見学に終わらせない。

ディケンズの楽しみ

ディケンズの作品を集めた『オックスフォード・イラストレイティド・ディケンズ』を開くと、

初期から後期に至るまで、さまざまな挿絵を目にすることができる。挿絵が主で文章が従と見えることもある。しかしそこは文学。どちらか一方を、ということになれば、やはり文章をとることになる、とそこまで考えさせるほどに、挿絵の役割は大きい。シリアスな挿絵から楽しい挿絵まで、その読者に与える印象も千差万別だが、本章は「楽しみ」に焦点を当てているので、楽しい挿絵を少し紹介してきた。

なぜディケンズの作品は挿絵になりやすいのか。ディケンズが視覚にうったえるような作品の書き方をしているからだ。そこに目をつけた人々がいた。映画界の人たちだ。挿絵になりやすいというのであれば、映像にもなりやすいということになる。

新しいディケンズ映画が次々と作られ、より精巧になっているが、著者が最初に観たモノクロの『大いなる遺産』(一九四六)は忘れられない。昔の経験が衝撃的な記憶として残っている。幼いピップの恐怖心、エステラのツンとした態度、老婆ハヴィシャム夫人の異様さ、ジャガーズ弁護士の大仰ぶり。そうしたものが一九七〇年代の日本の世界とはまったく切り離された世界のように見えておもしろかった。そのため九〇年代に作られた『大いなる遺産』(一九九七)はからくり倒れのように見えてしまったものだ。『大いなる遺産』は分かりやすい構造の作品なので、映画もくっきりしたほうがよいのではないか。

ひとつのことを楽しいと思い始めると、とまらなくなることがある。映画の楽しみを満喫すると今度は、芝居の楽しみに走る。ディケンズには『ニコラス・ニクルビー』(一八三八)という芝居を志す若者の出てくる作品がある。夏目漱石の『坊ちゃん』(一九〇六)に影響を与えた作品だ。ディケンズ自身も芝居好きだった。芝居は作品のなかでどのようなかたちで出てくるのであろうかという疑問を抱えて作品の頁をめくると、芝居がかった挿絵、芝居そのものの挿絵が山と出てくる。芝居はシーンと同時に声が命。と、楽しみは俳優の声を聴くことから声優の朗読を聴く楽しみへと移っていく。わかりにくいからテキストが必要になりグーテンベルク・プロジェクトから電子版を検索する楽しみへと移る。さらに詳しく知ろうと、原文と翻訳を並べて読む楽しみへと移る。もちろん紙の本を読む楽しみも欠かせない。作家はよほど芝居を書きたいらしい。あのヘンリー・ジェイムズ(一八四三―一九一六)とてもそれは同じであったというから。

読むことが勉強という感覚から離れ、楽しみをおぼえるようになる。こうして、読書に伴う旅の楽しみをおぼえ、実際の旅の楽しみをおぼえ、宿泊施設の楽しみ、鉄道の楽しみをおぼえる。最初は入りにくい『イタリアのおもかげ』(一八四六)を契機にイタリアを知る楽しみを経験し、『アメリカ紀行』(一八八二)を契機にアメリカを知る楽しみを経験し、『リトル・ドリット』を契機にヨーロッパを知る楽しみをおぼえる。ディケンズはジャンルの宝庫なので、スケッチを読む楽しみ[5]、短編小説の楽しみ[6]、推理小説の楽しみ[7]と多様化する。自伝的小説の楽しみには『デイヴィド・コパフィールド』も待っている。

そうした楽しみはディケンズ世界を出て、シャーロック・ホームズのロンドンを知る楽しみ[8]、イギリスの小説、新聞、雑誌を読んでいてディケンズに出会う楽しみ[9]、ハッピー・エンドに酔う楽しみなら『オリヴァー・ツイスト』、オープン・エンディングに放り出される楽しみは『大いなる遺産』、旧植民地出身者のロンドンを知る楽しみ、文豪をありがたがらない楽しみ[10]、夏目漱石作品鑑賞にいたる楽しみ[11]、十九世紀の巨人を知る楽しみ[12]、ドストエフスキー（一八二一―一八八一）を知る楽しみ[13]、カフカ（一八八三―一九二四）を知る楽しみ[14]、ディケンズを批判した二十世紀の小説家を知る楽しみ[15]、ディケンズを再評価した二十世紀、二十一世紀の小説家を知る楽しみ[16]、自分の勘違いを気づかせてもらえる楽しみ[17]、「楽しみ」から距離のある階級社会の実態を知る苦い経験[18]、今日の発想がすでに十九世紀からあったことを確認する楽しみ[19]、高齢者として若い頃に読んだディケンズを読み直すノスタルジックな楽しみなど、およそ現代社会にも通ずる数々の楽しみを経験できる。

楽しみを求めてイギリス文学史を遡っていくと、結局のところディケンズやシェイクスピアに行き着くように思われる。ディケンズ作品には悲劇も多々あるが、それでも総体としてそれは笑いの世界だ。楽しみの世界だ。

カフカに触れたところで、第七章に先んじて作家を主人公とする映画をひとつ紹介したい。『KAFKA／迷宮の悪夢』（一九九一、アメリカ）だ。主人公はジェレミー・アイアンズ演じる保険局の職員カフカその人。同僚のラバンの死に不信を抱き、好奇心も手伝ってひとり調査を始める。上司に勤務ぶりを咎められたり、命の危険に曝されたりしながら真相に近づく。ラバンの恋人で活動家のミス・ロスマンとその仲間に自分たちの活動の手助けをするよう求められると、ここがカフカらしいところだが、自分は自分ひとりで自分のためのものを書いている、何かの手段のために描くのではないと言って断る。やがてかれらもおそわれ、自分にも危険がせまる。どうやら陰謀の首謀者はしばしば映像の背景に映しだされる城にいるようで、カフカは石工の助けで、疫病の発生時使われていたという秘密の通路から城に入り込む。そこでは行方不明になっていたミス・ロスマンが拷問を受けていた。ムルナウ博士という人物が城を拠点に被験者を集め、効率的な人間を造り出す実験をしていた。カフカが携行してきたバラクの部屋にあった鞄におさめられた爆弾が偶発的に爆発し、実験室は崩壊する。無事に城から戻ったカフカは警察でミス・ロスマンの死体を確認し、自殺という警察の見解に同意する。部屋にもどり、真実だけを追究していればよいのではないという手紙を父親に書く。

カフカは好奇心を抑える。真実からも遠ざかる。本当のことを書いては生活圏で生きてゆけない。書いてすべてを終わらせるのではなく、書かずに生きて行くという選択もある。いつの時代でもそれは同じで、そうであればこそ、書けない時代には、書き手は過去の作品をひもといたり、寓話的な手法を用いたりする。

この映画はかなり具体的だが、カフカが影響を受けたディケンズの作品と比べると、とくに物語の出発点では抽象的と見える。ただし二十一世紀の読者は、カフカの片鱗に触れていたりもするので、その抽象性も途中で霧が晴れたように消えてしまう。後味としてはどこの世界でも起こりうるという普遍性への思いが残るのみだ。

第二章 脚注

1 **洒落た服を着込んだ若者たち**　こうした十九世紀の衣装を試着する場所として、日本では愛知県犬山市の明治村がある。鹿鳴館風の衣装を試着し写真に撮るという趣向だ。もとより著者は試着の経験はないが、女性たちの話によると締めつけられて自由が効かないという。作品を文字で読んだだけではわからない。

2 **屋敷の名前**　場所や建物をタイトルにするのは、ジェイン・オースティンなどにも『ノーザンガー・アビー』（一八一七）とか『マンスフィールド・パーク』（一八一四）といった作品がある。

3 **阿片**　トマス・ド・クインシー（一七八五―一八五九）の『阿片吸飲者の告白』（一八二二）という作品があるが、その実態は悪夢だ。コン・リー主演の上海を舞台にした『花の影』（一九九六、香港・中国合作）という映画があるが、ここに登場する阿片中毒者は、ディケンズが筆で書けなかったことを映像で、これでもかというほど詳しく描く。

4 **ブルー・プラーク**　グラッドストーン（一八〇九―一八九八）といった政治家、カーライル（一七九五―一八八一）やカール・マルクス（一八一八―一八八三）やウィリアム・モリス（一八三四―一八九六）といった思想家、『幸福な王子』（一八八五）や『ドリアン・グレイの画像』（一八九〇）を書いたオスカー・ワイルド（一八五四―一九〇〇）や映画『太陽がいっぱい』（一九九五）の原作者パトリシア・ハイスミス（一九二一―一九九五）といった作家、批評家にして辞書編纂家のドクター・ジョンソン、ジョン・キーツ（一七九五―一八二一）といった詩人、ハイドン（一七三二―一八〇九）といった音楽家、ジョシュア・レイノルズ（一七二三―一七九二）といった画家、エレン・テリー（一八四八―一九二八）といった女優、ジョン・ソーン（一七五三―一八三七）といった建築家などさまざまな人々のプラークを目にすることができる。

5 **スケッチを読む楽しみ**　『ボズの素描集』（一八三六）、『西洋夫婦事情』（一八四〇）。

6　**短編小説の楽しみ**　『ピクウィック・クラブ』（一八三六）に挿入された短篇仕立ての作品。

7　**推理小説の楽しみ**　連載開始と同時に大西洋の向こう側にいたエドガー・アラン・ポー（一八〇九—一八四九）がそのからくりを見抜いたという『バーナビー・ラッジ』（一八四一）、ウィリアム・ウィルキー・コリンズ（一八二四—一八八九）の影響を受けて書いたディケンズ最後の未完の小説『エドウィン・ドルードの謎』。

8　ホームズものはイギリスでも日本でも繰り返しリメイクされる。

9　日本の新聞記事に芭蕉の登場するように、イギリスの新聞にシェイクスピアやディケンズからの引用が登場する。

10　ディケンズの生涯を知り、作品を読むと、かれが生涯、市井から離れなかったとわかる。

11　漱石にとってディケンズはたった五十年前の作家だった。

12　ウィリアム・モリスやカール・マルクスもディケンズと同じ空気を吸っていた。

13　『ドストエフスキーとディケンズ』という比較文学の研究書がある。

14　『ディケンズとカフカ』は一九六〇年代の本だが今読み返してもおもしろい。

15　ヴァージニア・ウルフなどモダニズムの作家達。

16　アイリス・マードックといった作家。

17　負のお手本となる喜劇的人物たち。

18　硬直化した階級から逃れられない作中人物たち。

19　高齢化社会、ゴミ処理問題、就職を放棄する若者たち。

第三章　漱石の具体から抽象へ

漱石の具体、場所と旅

夏目漱石の作品は抽象と具体という本書のテーマにピタリとはまる。たとえば漱石最後の約十年間の小説群をひとつの大きな小説として捉え、『吾輩は猫である』（一九〇五）と『坊ちゃん』（一九〇六）の二作品はその始めの章と割り切ってみる。すると、なにやら明るいこれらの小説の雰囲気が、しだいに影を帯びてくることがわかる。最後の約十年というのは、学校教師であった漱石が大学を辞して創作方法に苦しんだ時期だ。

漱石の作品を読み返す前に、漱石ゆかりの地を旅する。初めて松山を訪ねたのは名古屋の小牧空港からであった。まだセントレアはなかった。二泊三日の旅で、松山空港に着くや、漱石や子規の足跡を訪ねた。道後温泉につかる。漱石にまつわる現地踏査は、地方に始まる。

次は明治村。名古屋駅から犬山駅に向かいバスで行く。鷗外と漱石が借家したという千駄木の家がある。当時の生活をしのぶには十分なつくりだ。ついでに明治村に移築された第四高等学校の柔道場など多くの建築物を見て、一日では回れず、いくつかを残したまま帰路につく。柔道場では井上靖が練習に励んだ。

次は湯河原。『明暗』に出てくる滝のあるあたりまで湯河原駅からバスで一息に上がり、しばし滝の音に酔い、歩いて湯河原駅に戻る。漱石最後の作品に登場するのがこの土地というのは、おそらく漱石の生涯の流れの事情で、漱石が最初から選び取ったものではない。作家も流される。当初は予測もしなかったところに、物理的にも精神的にも、具体的にも抽象的にも辿り着く。湯河原は神奈川県。漱石は静岡県修善寺にも滞在した。伊豆の大患。作家生活に入ってちょうど中頃のことだ。

次は熊本。『草枕』の旅だ。丸谷才一（一九二五―二〇一二）の『笹まくら』（一九六七）に連想が飛ぶ。そして東京。早稲田界隈。地下鉄東西線の早稲田駅で降り、漱石生誕の地を記す記念碑を見る。自伝的作品『ガラス戸の中』からの引用が説明書きに記されている。そのガラス戸というのは、漱石が晩年十年ほど住んだ借家の書斎の周りの、回り廊下の外側のガラスの戸のことで、今、その復元を見られるがとても洒落ている。大家は医師で、漱石は千駄木からこのガラス戸のある家に越してきた。これが書斎で難しい顔をした漱石の写真で馴染みの漱石山房だ。漱石山房は漱石没後、途中、その土地に都営住宅などが建てられたものの、曲折を経て二〇一七年、新宿区立漱石山房記念館として公開に至り、例の書斎が見事に復元された。その十畳の部屋に漱石、そしてその前の部屋に弟子達が木曜日の午後に集った。

書斎向かって左側の書棚に並ぶ洋書の類は、レプリカとはいえ、漱石の高弟小宮豊隆が図書館長となった東北大学の漱石文庫をもとに作ったもので、雰囲気は十分に出ている。『三四郎』の三四郎のモデルと言われている小宮だ。当時のものではないが、ガスストーブや机なども見事にそれぞれの位置を占めている。この記念館のことは、当館でも販売されている新宿区文化観光産業部文化観光課発行の『新宿区立漱石参謀記念館』にコンパクトにまとめられている。これもそこで入手可能な「文学をめぐる地図漱石　友人子規と歩く本郷・千駄木・上野・根岸」と「文学をめぐる地図漱石　新宿・早稲田～神楽坂」と併せて読むと、トポスと文学との関係に考察がおよぶ。少し歩いては考え、また歩いては考えするので、そうして過ごした日の夜は寝付きがよいと同時に、翌朝の思考は熟成この上ない。これに各種の漱石論[1]が加わる。

　以上が著者の経験した具体的な漱石の場だ。抽象的な漱石は、「私の個人主義」や柄谷行人の仕事を通して、バラバラに頭に入ってきた。作家、国際人、そして大学教員の順に関心は薄れる。何

左:新宿歴史博物館ボランティアによる「文学をめぐる地図 漱石 新宿　早稲田～神楽坂」同「友人子規と歩く本郷・千駄木・上野・根津」
下:新宿区立山房記念館の案内チラシ
（左・下とも公益財団法人 新宿未来創造財団による）

よりも作家としての漱石に関心があった。漱石最後の十年の姿だ。国際人というのはロンドンでの苦労の末に漱石が辿り着いた視点にかかわる。学校の教壇に立つ漱石への関心は薄い。漱石がそこから逃げたいと考えた場所であったからだ。『文学論』（一九〇七）は楽しみながら読む本ではなく、学術的な価値で読む本だ。

『吾輩は猫である』、『坊ちゃん』、『二百十日』

漱石の作品を読み返すにあたり、挫折の原因となるのは、案外、最初の二作品『吾輩は猫である』と『坊ちゃん』であったりする。両作品は中高生の課題図書になったりもする。およそ、宿題となった作品にはしばしばよからぬ記憶がつきものだ。この二作品は、よく知られているだけに厄介。無視したらなぜと問われようし、精読しようにも、酔っぱらって死ぬ猫の話や、地方の旧制中学の職員室のありように憤る青年教師の話に、二十一世紀の今、耳を傾ける余裕はあるだろうか。もっとも、動物が主人公という小説[2]は漱石が手をそめたイギリス文学にもあるのだから、そうした文脈を踏まえて読むことは可能だ。また『坊ちゃん』とチャールズ・ディケンズの『ニコラス・ニクルビー』をならべて読むと読解に厚みも出てこよう。

『吾輩は猫である』は漱石の長編群の冒頭に来る。作品名がセンテンスになっている。英語に翻訳すると"I am a Cat"。センテンスのタイトルは、地名や人名のタイトルより、さらに『心』といったタイトルより、具体的だ。その具体性がしだいに抽象に向かうのが、タイトルを以下に並べたときの印象であるとひとまず言っておこう。具体的とは、ここでは、場所と時間の設定が明確であるということだ。『坊ちゃん』は松山に赴任した青年教師の話、『三四郎』は熊本から上京した帝大生の話。人の移動が明確、年齢も明確、時代も明確、要するに設定が明確なのである。対して『それから』や『門』や『行人』や『明暗』は、タイトルだけ読んだのでは、何が何やらわからない。その意味で具体的な『吾輩は猫である』や『坊ちゃん』は、楽に読める。ただし下手をすると、ドタバタしている内容同様に読書経験もそれで終わりかねない。

『坊ちゃん』を読み、まず気づくのは「田舎」および「田舎者」という言葉の多用だ。ここは注意が要る。他者や他所の土地を形容する言葉の使用頻度は、そのままその使用者自身を指し示すこともあれば、使用者の不安を指し示していることもある。当時とはいえ東京と比較すれば松山は田舎だったかもしれない。しかし、その東京も当時のヨーロッパ諸都市と比較すれば田舎に過ぎない。比較の問題。主人公にして語り手の「坊ちゃん」はその田舎に呑み込まれることを非常におそれる。自分は江戸っ子なのだとたえず自覚していないと、自分も田舎者になってしまうという不安との闘いが作品の中心にある。

次に、読者は当たり前すぎていちいち取り上げないが、『坊ちゃん』は一人称小説だ。「私は」、「僕は」と語るその人が主人公だ。したがってイシグロの作品を参照して言えば、『坊ちゃん』の「おれ」

も十分に「信頼できない語り手」たりうる。一例を挙げれば、「おれ」そのものが「田舎者」なのかもしれない。「おれ」が語る小説とは、「おれ」の目に入ってきたもののみが表現され、作品の終了時点でも、「おれ」が亡くなることもなければ、ものを書けない状態でもないということが、作品冒頭から明らかな作品だ。なぜなら「おれ」は作品冒頭、作品を書く作業を実行しているからだ。しかし、「おれ」は作家ではない。結末でも作家ではないとわかる。物理学校を出た数学教師だ。数学教師の書いている手記が『坊ちゃん』だから、文学的表現が充満していたらおかしい。事実、漱石は、文学の教師であったが、自分のなかの文学性を使用する言葉のレヴェルでは極力削ぎ落としているのではないか。母が亡くなり、父が亡くなり、兄が九州に行く際、「おれ」に六百円を渡しに来る。これで何をするかというときに「おれ」は学校に入ろうとするが、「こと語学とか文学とか云うものは真平御免だ。新体詩などと来ては二十行あるうちで一行も分からない」（『坊ちゃん』、新潮文庫、十五頁）と考え、今で言う文科系を排除する。漱石自身が文科系そのものの人であったのに。ただ、まれに「おれ」の書きぶりに文学が漂う。

かくして松山に赴任することになった数学教師の「おれ」だが、抽象的思考は数学だけでたくさんと思ったのだろうか、その手記『坊ちゃん』に抽象的思考や表現を探すことは難しい。たとえ相手が清であるからといって、抽象的表現を控えたのではなく、そもそも、そういう考え方が嫌いであったようだ。「おれ」が清に書いた手紙をのちの作品『こころ』の先生の手紙と並べて読むと、おもしろい。

師範学校と中学校のもつれは具体と抽象のせめぎ合いと読むことができる。師範学校を出て、教壇に立つ。生徒という具体的な人間を前にする。他方、中学生は高等学校に進学し、帝国大学に行く。抽象の街道をひた走る。学校という舞台は若者の集まりだからテーマに事欠かない。イシグロの『わたしを離さないで』の舞台が寄宿学校であるのも、妙に頷ける。

「おれ」の手記のなかの「おれ」が清にあてた手紙[3]に抽象的な表現はいっさいない。それは「おれ」が清に気を使ったからではなく、そもそも「おれ」は抽象的思考など面倒でしかたない。ターナーの話をする同僚に呆れ、インテリ批判を盛んにする。それがひとつひとつ的を射ているからおもしろい。赤シャツに対する最後の対抗手段として暴力が入ってくるところも初期の作品ならではだ。ただ、ターナーはインテリ臭い人ではなかった。

『二百十日』（一九〇六）は阿蘇が舞台。自然の猛威もさることながら、圭さんと碌さんの掛け合いがダイナミックだ。会話の活きがいいところにもってきて、内容も直截的だ。圭さんは何をしているのか、と碌さんは素朴な疑問を抱き住処を訪ねると、圭さんは豆腐屋で、意識してかしないでか相手をからかう。すくなくとも碌さんも読者もからかわれたような気分になる。話が進み、豆腐屋の二階に住んでいるというから下宿でもしているのかと聴き手が想像すると、豆腐屋の倅なのだという。その圭さんが、作品中「文明の革命」を説く（『二百十日』、新潮文庫、五十九頁）。「相手」は「金力や威力で、たよりのない同胞を苦しめる奴等さ」という。世の中の不平等に憤りを感じる。からっとした「坊ちゃん」の守備範囲はせいぜい中学校、また温泉場に行けばすぐに同僚や知り合いに会うという限られた場所だが、圭さんのそれは世界というから、話が大きい。ここには『虞美人草』、『三四郎』、『それから』、『門』に登場する当時の学士たちの優柔不断はない。

『草枕』、『虞美人草』、『それから』

『草枕』（一九〇六）は「知」ということばで始まる。そして「情」が来る。どちらに傾いても「生きにくい」ので主人公は引っ越す。と、あたかも『坊ちゃん』の具体的、即物的世界の反動ででもあるかのように、作品冒頭から抽象的な議論が続く。それに加速をつけているのが、主人公の画家の山路歩きであり、温泉地逗留であり、頻繁な入湯だ。那美という女性の会話上手も手伝って主人公の舌はますますもってなめらか。ついには、小説などどこから読んでもよい、開いたところから読めばよいとまで言い出す。小説中の小説論であるからメタフィクション的要素と括ることができる発言だが、漱石はイギリス文学のメタフィクションの古典、ローレンス・スターン（一七一三―一七六八）の『トリストラム・シャンディ』（一七五九―一七六七）に親しんでいたので、画家のそうした発言もうなづける。

第一章で夜、闇、霧など，モノや景色をぼやかすもの、抽象化するものについて触れたが、『草枕』

ではこれが湯気となる。

黒いものが一歩を下へ移した。踏む石は天鵞毬の如く柔らかと見えて、足音を証にこれを律すれば、動かぬと表して差支えない。が輪郭は少しく浮き上がる。余は画工だけあって人体の骨格に就ては、存外視覚が鋭敏である。何とも知れぬものの一団動いた時、余は女と二人、この風呂場の中に在る事を覚った。(『草枕』九十四頁、新潮文庫、二〇一八)

読者にとって難儀なのは、湯気でぼんやりとした那美の描写のあと、延々と画工の能書きが続くところだ。話を脱線させるのもいい加減にしておかないと、読者は本を放り出しかねない。ただ、画工の説にのっとれば、ふたたび本を拾い上げたとき、たまたま開いた頁を読めばよいということになりそうではある。『草枕』がオープン・エンディングということではない。画工は求めていた画題に最終頁でついに出会う。那美の表情のなかに何か欠けているという当初の疑問の答えが最終頁で見つかり、画工も読者も安堵し納得する。

『虞美人草』の語り手は、作中人物ではなくて、作者だ。作者は「藤尾は」、「小野は」、「小夜子は」、「井上は」、「宗近は」という具合に三人称を使って語りを先へと進める。そしてときに、自らが書き手であることを露にして、蘊蓄をならべる。このかたちはイギリス文学にあっては常套で、漱石がよくこれを論じたローレンス・スターンの『トリストラム・シャンディ』にも、同じく十八世紀のヘンリー・フィールディング（一七〇七―一七五四）の作品『トム・ジョーンズ』（一七四九）にも見られる。また十九世紀のジョージ・エリオットの『ミドルマーチ』（一八七一）も同じかたちで進む。作者が進行中の小説を小説、つまりフィクションと作品中で断ってしまうわけなので、興醒めと考える読者もいる。せっかく藤尾と小野の会話を楽しんでいるところに、そのあと作者が双方の内面を解説したのでは、読者として考えるという楽しみが奪われる。そもそも作者が自分で勝手につくった会話を作者自身が解説するのだから、読者に判断の余地はなくなってしまう。ただ作者が顔を出さなくても作者が話を進めているのだから、どの道、読者には意見をさしはさむ余地がないということも言えて、それが嫌であれば読者は本をわきにおき自分で作品を書き始めるしかない。先行する作品に異議をとなえる、つまりノンをつきつけることで後続の作品ができあがると唱えたのは『小説の美学』（一九二二）のティボーデ（一八七四―一九三六）だった。

いずれにせよ、藤尾も、小野も、宗近、甲野も作者の意のままに操られる。そして読者の目の前に展開するのは結婚問題と就職問題。若い人々が世間のどこに着地するのかということが、これも、イギリス文学のジェイン・オースティンやチャールズ・ディケンズの作品に劣らぬ程の重層的な描写によって描き出されていく。ひとつの事件がおこると、それについて複数の人々が見解を述べ、それについてさらに別の人々がどう感じたかということを述べる。畢竟、作品は長くなる。竹を割ったようには進まない。小野はぐずぐずするし、宗近は随所で押しを通し、糸子と小夜子は泣く。小夜子こそが小野の妻になるという宗近のことばに藤尾は藤尾で満をじして言う。

「嘘です。嘘です」と二遍云った。「小野さんは私の夫です。私の未来の夫です。あなたは何を云うんです。失礼な」と云った。（『虞美人草』、新潮文庫、二〇一七年、四四三頁）

藤尾の決然とした言葉が、藤尾と母との結婚をめぐる地をはうような現実的な会話の間に挟み込まれる。甲野の家、宗近の家、井上孤堂の家、そしてそれぞれの家のひとりひとりの不安定な状態が、最後の数頁で作者の手で強引にひとつの安定、むしろ硬直状態へと仕上げられる。哲学者甲野、文学者小野はもとより抽象的な世界に生きている。小夜子、糸子は具体的な世界に生きている。その間を行き来する藤尾に一番の軋轢がかかる。

移動と定点、具体から抽象の晩年へ

『虞美人草』で調子づいた漱石は、『野分』（一九〇七）でも痛快に筆を運ぶ。主人公白井道也は大学を卒業し、地方の中学校づとめを三校。次から次へと辞め、東京に戻ってきた。作品冒頭、仕事はない。妻がいる。越後、九州、中国と三つに地域で起こったことが冒頭に記されてあり、ひとつひとつが『坊ちゃん』の松山での立ち回りの圧縮のようになっている。かつての一冊分が、それぞれ半頁に抽象化され、それで足りるかのようだ。それほど、白井にとって地方は気に染まぬところだった。

自著『引用と借景』(二〇一八)のなかで『三四郎』を上京型小説と呼んだ。熊本から名古屋を経て東京までの移動が上京そのものだからだ。熊本の旧制高校までで、三四郎の精神生活の土台は築かれていたはずだ。移動中はさしたる精神的成長もない。東京という定点に到着し、その中でまた三四郎の内面の深化が始まると考えてよいだろう。とすると、その痕跡を本文に探れば、『三四郎』が教養小説に近いのか、ピカレスクロマンに近いのかがわかる。三部作と言われるだけあって、その深化が『それから』や『門』に委ねられるとしても。

『坊ちゃん』で頻出した田舎者という言葉が『草枕』の気取りのなかで少し後退したかと思いきや、『三四郎』では、その一頁目から「田舎者」という言葉が飛び出す。まだ漱石は「田舎」や「田舎者」から解き放たれていない。

『草枕』は汽車の出発に終わり、『三四郎』は汽車の客室で始まる。ドストエフスキーの『白痴』に連想が走る。三四郎はフットワークがよい。広田、野々宮、よし子、美禰子やと菊人形を見に行く。運動会に行く。午前中から湯に行く。谷中、千駄木、根津など、今で言う〝谷根千〟を歩く。広田の家に行く。野々宮の家に行く。移動するという具体的行為を反復する。他方、大学では講義を聴き、しばし抽象的な世界に身をおいているはずが、講義内容をノートするわきで、美禰子の言ったstray sheepという言葉をノートに書き連ねたりもする。体育会系の人間ではないが、実によく身体を動かしている。『三四郎』の抽象世界は、この「迷える羊」を始め、pity's akin to loveなど、広田や野々宮やほかのだれかの記憶から呼び覚まされた言葉が三四郎の前にふと落ちて来るというかたちだ。熊本から出てきた三四郎は東京の広さ、多様性に日々驚くが、作品の外側から、そして現代から見れば、実に小さなつくりもののような世界だ。それだけに居心地もよければ、安定感もある。そうして三四郎は成長していく。二十三歳にしては幼稚と見えなくもない。

三四郎には三つの世界があるという。ひとつ目は過去の世界。そこには母もいる。ふたつ目は広田先生のいる書物の世界。三つ目は春のごとき世界。そこには女性もいる。広田先生の抽象の世界より、女性たちのいる明るい具体の世界の住人でありたいと願う。だが、結末は、えてして想い通りにはゆかない。三四郎にとっても、読者にとっても。あなたに会うために来たと告げたその相手には、三四郎の知らない世界があとふたつあった。ひとつは教会、その向こうのキリスト教。もうひとつは三四郎の緊張をよそに、三四郎と美禰子の前にさっそうと現れた男性。『三四郎』が推理小説として売り出されていたら、読者は怒ったかもしれない。キリスト教も男性も伏線として作品の早い段階で出てこないではないかと。ただ、前者に関しては、美禰子の英語好きや「迷える子羊」への言及が、キリスト教の知識に発するものという弁護もなりたつ。後者も当時にして二十三歳の美禰子。縁談のいくつかあっても不思議ではない。それを、この人は別という具合に勘違いしたところが三四郎の未熟。与次郎が同じ歳では女性のほうが何枚も上手、尊敬の念を相手に抱けない、そのうち年下のよい女性が現れるという趣旨のことを言い、かえって三四郎の傷に塩を塗るようなことを言うが、そこには世間と読者を納得させる何かがある。

『それから』の主人公長井代助は働かない。なぜ働かないのかと友人にして三千代の夫の平岡常次郎から詰め寄られると、「そりゃ、僕が悪いんじゃない。つまり世の中が悪いのだ」（『それから』、新潮文庫、一〇二頁）と自分以外のところに理由を求める。どこかに見覚えのある考え方だ。言葉そのものが一致するというわけではないが、ディケンズの『荒涼館』に登場する青年リチャード・カーストンも働かない。働く気がない。いずれ遺産が転がり込んでくればすべてが解決すると思い込んでいる。代助が縷々理屈を述べて日々抽象に耽っていられる背景には、実業界で働く父と兄の存在がある。代助は毎月、実家に行き、父から金銭的援助を受けている。そこに嫂がいて、現実的な問題を突きつける。相手を探してはやく身を固めよという。三千代への想いを告白し、月々の金を絶たれたとき、手紙に小切手を入れてよこし、縷々と父や兄の様子を知らせてくれるのも嫂だ。嫂の手紙に抽象はない。すべてが具体。代助の知りたいであろうことが綴られている（『それから』、同、三一八―三二九頁）。結局事態を知ることになった代助の父。兄はその名代で父の考えを言い渡す。「不断は人並以上に減らず口を敲く癖に、いざと云う場合には…」と言う兄の言葉はそのまま世間の言葉。代助は三十にしてやっと職探しをする。街に出る。電車に乗る。作品は「忽ち赤い郵便筒が眼に付いた」で始まる、赤ずくめのパラグラフへと雪崩れ込んで閉じる（『それから』、同、三四四頁）。三千代のその後はわからない。『三四郎』、『それから』と来れば、『門』だが、これは修善寺大患以前の漱石の作品のまとめのようなところがあるので、次に稿を起こす機会があればここから始め、『彼岸過迄』、『行人』、『心』、『道草』、『明暗』へと進みたい。

駆け足で漱石作品の前半を読んできたが、漱石にあっては、旅と創作行為の円熟期と最後の十年が一致したということになる。四十歳台の最後の十年が俳人や小説家に特別の時間となったことは、当時の日本人の寿命を考えれば不思議なことではない。そうして今度は、別の時代や国に目を転ずると、人の最後の十年の姿のヴァリエーションは無数にあり多様この上ない。マルセル・プルースト（一八七一―一九二二）が『失われた時を求めて』（一九一三）の執筆に割いた四十歳台の最後の十年間。人生の最後の五分の一に焦点を当てれば、関ヶ原の戦いに勝利した徳川家康は、最後の十五年間に江戸幕府の基盤作りを行った。本書の文脈で言えば具体的な活動から抽象の高みに移り、そこから眺め直すというのが、人の晩年の位置取りともいえる。

第三章 脚注

1　**漱石論**　「則天去私」といった話も悪くないが、それはさておき、『漱石の巨きな旅』（吉本隆明、NHK出版、二〇〇四）、『三四郎の東京学』（小川和佑著、NHK出版、二〇〇二）、『漱石とイギリスの旅』（稲垣瑞穂著、吾妻書房、一九八七）、『夏目漱石の京都』（丹治伊津子著、翰林書房、二〇一〇）、『漱石とクラシック音楽』（瀧井敬子著、毎日新聞出版、二〇一八）、『英語教師 漱石』（川島幸希著、新潮新書、二〇〇〇）といった具体的な話が特におもしろい。これなら作家と同じ地に立ち、同じ音楽を聴き、同じ英語を読むことができる。そこから脱線する楽しみも出てくる。

2　**動物が主人公という小説**　イギリス文学では、ヴァージニア・ウルフ（一八八二―一九四一）に犬を主人公にした『フラッシュ』という作品がある。ジョナサン・スウィフト（一六六七―一七四五）の『ガリヴァー旅行記』（一七二六）でガリヴァーが最後に辿り着く国は、馬の国。

3　**清にあてた手紙**　ちなみに清の人物造形、つまり高齢の女性の人物造形で、漱石の扱いは時代相応と見えるが、そこから下って川端康成（一八九九―一九七二）となると、『眠れる美女』（一九六〇）に登場する宿の女性のように憎悪の対象となる。

第四章　新宿と一九七〇年代東京

新宿文化

　普段、電車でさっと通り過ぎてしまう新宿界隈も地域を限定して歩くと、多くの文化遺産の宝庫とわかる。新宿駅南口、階段を降りたところにある大きなインフォメーションセンターには、日本語、外国語の観光案内のちらしやパンフレットがおいてある。新宿に関しては、新宿観光マップといって「新宿駅周辺」、「神楽坂」、「四谷」、「高田の馬場、早稲田、大久保」、「落合」の五枚が手に入る。先に、ディケンズのロンドンから漱石の東京、早稲田界隈に目を転じた。早稲田、神楽坂はいずれも新宿区。

　まずは「新宿駅周辺」。都会の中の自然としては新宿御苑。フランス式庭園やイギリス式庭園を見る。ミュージアムでは平和祈念展示資料館、東郷青児記念損保ジャパン日本興亜美術館、中村屋サロン美術館。それぞれに文化発祥の地となっている歌舞伎町、ゴールデン街、花園神社も新宿駅から歩ける距離にある。新宿を舞台とした作品は多い。拙著『創造と模倣』（二〇一九）で紹介した映画『ロスト・イン・トランスレーション』（二〇〇三）もそうだ。

「神楽坂」のマップには泉鏡花旧居跡、尾崎紅葉旧居跡、島村抱月終焉の地などが記載されている。宮城道雄記念館もある。兵庫横町、かくれんぼ横町、見番（けんばん）横町、本多通りなどの脇道があり、都市の迷路好き、さらに迷宮好きは一度歩くとまた歩いてみたくなる。時間帯を選べば国内のこと、安

上新宿観光マップ。上記の他に「新宿駅周辺」のマップもある。一般社団法人新宿観光振興協会による。

全に迷宮感を堪能できる。新宿観光マップ「四谷」には柳田邦男旧居跡、坪内逍遥旧居跡、永井荷風旧居跡、小泉八雲旧居跡、二葉亭四迷旧居跡などが記されている。江戸以来の数多くの横町名が残っている。新宿歴史博物館、佐野美術館、民音音楽博物館、消防博物館、東京おもちゃ博物館などの施設もある。そして漱石山房記念館を中心とする「高田馬場、早稲田、大久保」のマップ。神田古書店街に次ぐ早稲田古書店街も時間を忘れさせる。坪内博士記念演劇博物館、會津八一記念博物館、草間彌生美術館、つまみかんざし博物館、東京染ものがたり博物館、木組み博物館といったモノの博物館もある。最後は「落合」のマップ。佐伯祐三アトリエ記念館、林芙美子記念館、中村つねアトリエ記念館などが記されている。どの地区も一日で回れるというものではない。出かけては二、三の施設をゆっくり見て、また別の日に出かけてみるというかたちになろう。そういう意味で、新宿だけでも、ロンドン散策と似たようなことができる。

森鷗外（一八六二―一九二二）の『青年』（一九一〇）の時代にはスマートフォンはなかったので、主人公小泉純一は「東京方眼図」（一九〇九年。森鷗外の立案によるとのこと）を使った。新宿区立漱石山房記念館を目指すなら地下鉄東西線早稲田駅で降りる。記念館に着く。記念館を見る。と、記念館で得た地図をもとに漱石ゆかりの地を歩き始めるかというと、漱石はもういい、それより、神楽坂のほうまで歩いてみようという気になる。しかし、別の日、今度は、漱石の足跡を雨の日に確認し、晴れの日に出かけてみようかということになる。

早稲田まで来たのだから坪内逍遥記念館も見る。東京グローブ座も。坪内は日本初のシェイクスピア全作品の翻訳を行った人で、今、読んでみると、日本語も難しく、どの日本語がどの英語やらと戸惑うほどだ。現代日本語の世界で暮しているわれわれにとって、逍遥の日本語は外国語のようでさえある。

日本でも作家と旅はつきものだ。引越の好きな作家もいる。好きではなく、必要上ということもある。ディケンズとはまったく作風の異なるものの、谷崎潤一郎もよく引越をした。夏目漱石も「知にはたらけば角がたつ。情に棹させば、流される。とかくこの世は住みにくい」といってどうしたかというと「引っ越した」。ただ、小説家となってからは勤務先の変更というものがなくなったので、漱石最後の約十年間は、いちおう定住のかたちをとった。その代わり小説のなかで旅をしたのだろう。あるいは過去の旅を再生したのであろう。田山花袋（一八七二―一九三〇）など『蒲団』（一九〇七）というなんとも湿っぽい小説の書き手だが、本人は旅好きであった。

新宿はいつ行っても工事している

ところでなぜ新宿なのか。

先に漱石の章を書いていて思ったことがあった。漱石を書く前には当然、漱石再読があった。『吾輩は猫である』から『明暗』までひとつの作品のように読み通したところ、ふたつのことに気づいた。ひとつは、今にも通じる、人と話をする時のことばというのがつくられたのは漱石あたりの時代ではないかという実感。漱石のつくった日本語とまで言ってもよい。それをわれわれは日常的に使っている。百年もむかしの言葉を。そこで、今の日本語の基礎ができあがったように思えてならない。百年が長いということはない。英語などはシェイクスピアくらいまでさかのぼっても辞書にあたりつつ読めるわけで、近くは英メジャー元首相が英語学習（つまり国語学習）にシェイクスピアの効用を説いたほどだ。

さて日本ではわれわれは漱石のつくり出したような日本語を使って話している。日本語のようでいて、少し工夫すると英語に訳せそうな日本語だ。漱石再読でその作中人物の女性たちの言葉のなかに、著者の母やその妹がしゃべっていた日本語と同じことば（単語、表現、イントネーションなど）を見つけたときには驚いた。なにしろ中学校の時に読み出した漱石は、およそ自分に歴史感覚が欠如していたため、大人の男女はそのように話すのが自然と考えていたふしがある。後知恵でしかないのかもしれないが。

その母のことばに「新宿はいつ行っても工事している」という常套句があった。著者も十代となる前から新宿を利用していたが、思いおこしてみると、二〇一六年に新宿南口のバスタ新宿ができて少し落ちついたものの、たしかに新宿はいつも工事していた。十代、二十代、時を何倍にもすすめて現在に至るまで、月に一度は新宿を利用する者として、「新宿はいつ行っても工事している」という母のことばが忘れられないのは、どのように考えたらいいだろうか。

記憶にこそないが「今日、新宿に行ってきた」と著者は折々に母に言っていたのかもしれない。「新宿はいつ行っても工事している」ということばを聞きたいあまりに。母と息子の会話として、もっといくらでも重要なものがあったろうに、それほどありふれたことばしかなかった。そのありふれたことばをすくいとるのが小説だ。新宿で人々が交わした奇抜なことばをすくいとるのも小説、ゴールデン街に飛び交うことばをすくいとるのも小説、ありふれたことばをすくいとるのも小説。

それぞれの新宿

マップを片手に歩くとき、遊歩者の頭にあるのは、すでに長く人に知られた文化遺産、作家たちの生活、作中人物たちの生活だ。ところが、富士山というひとつの山に、登山者や遠目で見学する人たちが込める意味合いが無数にあるように、新宿にも無限の意味合いがあり、それが時間とともに変化する。

漱石の新宿ばかりではない。『わが町・新宿』（一九七六）の田辺茂一（一九〇五―一九八一）の新宿があり、『路上のジャズ』（二〇一六、中公文庫）の中上健次（一九四六―一九九二）の新宿があり、関根弘（一九二〇―一九九四）の『新宿詩集』（土曜美術社、一九八〇）の、渡辺英綱（一九四七―）の『新宿ゴールデン街物語』（二〇一六）の新宿がある。田村圭介・上原大介の『新宿駅はなぜ1日364万人をさばけるのか』（二〇一六）、『新宿ピットインの50年』（河出書房新社、二〇一五）の田中伊佐資、武岡暢の『生き延びる都市――新宿歌舞伎町の社会学』（新曜社、二〇一七）、石榑督和の『戦後東京と闇市』（鹿島出版会、二〇一六）、渡辺克己の『新宿、インド、新宿』（ポット出版、二〇一一）、そして森山大道（一九三八―）のいくつもの新宿がある。

話を少し広げると『新宿ゆかりの文学者』（新宿区生涯学習財団新宿歴史博物館編、二〇〇七）がある。森山大道や荒木経惟が活躍した新宿の下には、明治の文豪たちの新宿という地層があった。そうした新宿のハード面をうまく説明したのが前述の『新宿駅はなぜ1日に364万人をさばけるのか』。ソフト面ではさらに堀江朋子の『新宿センチメンタル・ジャーニー』（図書新聞、二〇一七）がある。

戦後十年からほぼ現在までを扱った中谷吉隆の『蠢く街 新宿What 1955-2017』（日本写真企画、二〇一八）など写真集を挙げ始めたら切りがない。地図ものもまたしかり。たえずどこかしらが工事現場という新宿にあっては、地図も一日にして古びてしまうから、次々と地図が出るし、地図について考察するメタ書籍も出る。

ここ半世紀あまりの日本の美術史のなかでも、新宿は大きな役割を演じてきた。手元にあるのは、『1968年 激動の時代の芸術』（二〇一八、左チラシ参考）の図録だ。千葉市美術館を経て、静岡県立美術館に巡回してきた企画展の厚い冊子。その巻頭を飾るのは千葉市美術館学芸員水沼啓和の

2019年2-3月に静岡県立美術館で開催された「1968年　激動の時代の芸術」のチラシ

「1968年　現代美術の転換点」とUCLA歴史学教授ウィリアム・マロッティの「代々木から一駅はなれて　日本の1968年における新宿、その暴力と曖昧さの政治性」のふたつの論考。後者には新宿に出入りした幾多の人々の姿が描きだされ、位置付けされている。

A1「一九六八年の社会と文化」におさめられた蠍座や風月堂の写真、複数の頁にちりばめられた新宿西口広場の写真。どれもこれも新宿だ。新宿西口広場のモノクロ写真が映し出しているギターを持った青年にはかれらなりの具体があり、所変わって一九七〇年の大阪の万博会場のカラー写真には、それ相応の具体性がある。それが反万博運動の作品となると、そこにメタ性が入るにおよび、若干の抽象性を帯びる。B「一九六八年の現代美術」の5「トリック・アンド・ヴィジョン」もしかり。ところがC「領域を越える芸術」の4「サイケデリックの季節」となると、その色彩の強烈さに抽象でありながら具体であるようなポスターが目立つ。そしてD「新世代の台頭」で1「『プロヴォーク』の登場」や2「もの派の台頭」に著者は抽象を見てしまう。作品が時間の経過とともに抽象と具体の間を揺れている様子は、個人のアーティストにあっても、ひとつの地域の文化にあっても、かなり一般的な傾向という印象を抱く。

七〇年代東京の抽象、植草甚一とカンディンスキー

ところでなぜ東京かという話がある。東京が多く撮られ多く書かれてきたからだ。その「多く」

で削ぎ落とされるものもあろうが、「多く」であるために人に伝わりやすいということがある。「多く」の人が東京を経験しているからだ。だから書かれた東京、撮られた東京で語ると伝わることの量が増す。それは絵画や写真や文学の世界で富士山が多く描かれ、撮られ、また書かれてきたというのに似ている。また富士山かと思いながらも、富士山について何が新しく描かれ、何が新しく書かれたかが気になる。わかりやすい例、だれしも記憶のどこかにある例は、新作、新設の位置を容易に特定する。人は自分の土地にある山を富士に見立て、それがある地域の下に富士の二文字をつけたりもする。地域の繁華街の名前の下に銀座とつけて呼び習わす。

東京の七〇年代は植草甚一[1]（一九〇八—一九七九）の『植草甚一コラージュ日記：東京1976』（平凡社、二〇〇三）に見たい。七〇年代の東京と言えば、東京オリンピックから十年、街にはモノが溢れ出し、洒落た店ができ、他方で、充実した品揃えの新刊書店や古書店がその役割を十二分に果たしていた。まだ洋書が通販で買えるという時代ではなく、洋書専門店も賑わっていた。そうした店に出かけては本を眺め、購入するということを娯楽とする人々も多かった。神田古書店街に一万円も持って行けば、稀覯本は別としても、かなりの本が手に入ったものだ。植草甚一はそうした楽しみを実践する手本のような人物で、経堂の自宅から小田急線の電車やバスに乗っては、都内の店々に出入りした。『コラージュ日記』は朝のコーヒーに始まり、原稿執筆の進み具合、購入した本のタイトルと値段、出入りした場所といくつもの具体的内容の記述が続く。そしてそのまま具体的な記述で一日が終わるのかと思いきや、時折、「アイデアが浮かんだ」（一月一日）と結ばれるという具合だ。事実、アイデアの枯渇、アイデアの到来といった物書きの最大の関心事の記述が何度も現われ、日々の読書の楽しみと書くことの苦労が植草の内部で交錯しているのがよくわかる。抽象と具体は、センテンスごとに書き込まれるのではなく、ときに、一文のなかに収められることもある。次の引用は池袋の西武デパートに出かけた日の日記の一部だ。

それからカンディンスキー展があるのに気がついて見に行く。晩年の作品にミロみたいな感じがする空中浮遊物体の油絵がいくつかあって、とても明るいので感心してしまい真似をしてやろうと思って、その絵ハガキを三枚買い、十一階の「フィガロ」でエスプレソとケーキを食べた。

（植草甚一、『植草甚一コラージュ日記 東京1976』、平凡社、五六頁、一九七六年一月二三日）

カンディンスキー（一八六六―一九四四）とケーキが、なんの違和感もなく一つの文章におさまるところに植草らしさがある。

植草甚一が気に入ったというカンディンスキーの作品。十九世紀から二十世紀の変わり目には、「山あいの湖」（一八九九）といったわかりやすい油彩を描いていて、それはそれで美しい。ところが二十世紀に入ると、それぞれの色は質感をまし、記号のようになっていく。「ムルナウー城の中庭1」（一九〇八）がそれだ。十年代になると、具体的な原型は「インプロヴィゼーション20」（一九一二）のようにわからなくなる。そして「各種の部分」（一九四〇）のような作品に至る。もちろんその間にも具体的な作品を描いてはいる。

ブローティガンの抽象化された日本

植草の日記にある一九七〇年代、ひとりのアメリカ人が日本にやってきた。その人リチャード・ブローティガン（一九三五―一九八四）には「エドワード叔父さん」という親族がおり、かれの死の原因の行き着くところは日本だと思っていた事情が『ブローティガン 東京日記』[2]（平凡社ライブラリー、二〇一七）の「はじめに」に記されていて、ひとつの短篇のようにも読める。ところが成長につれ、日本に関心を持つようになる。「ぼくは日本の食べ物と日本の音楽を好きになった。ぼくは五百本以上の日本映画を見た」（『ブローティガン 東京日記』二六頁）。さて、ブローティガンはかれ自身の日本観を胸に来日したが、多くの旅がそうであるように、いざ着いてみるとさらにもうひとひねり、日本は思いもよらぬ姿を見せた。この日記は詩のかたちで綴られているが、読み進むにつれ、抽象の度を増す。次の詩は「日本の夜のサングラス」というタイトルだ。

日本の女性

年齢、二十八歳
光を見るはずの
　　目で
夜、闇を見て
　　生きている

東京　一九七六年五月三十日

女性が夜なのにサングラスをかけている。夜の闇にもうひとつ、サングラスで目をおおい、外界と自分を二重に隔てる。ウォン・カーウァイ監督の『恋する惑星』（一九九五）に登場するブリジット・リン（一九五四―）演じる麻薬密輸人にも似た緊迫感をただよわせている。

東京が雨に覆われる。「考古学の旅の小さな船」は目の前の東京の現在を凝視し、時間が「つまらないこと」を「重要なこと」に変える働きについて考えるという作品だ。

カミナリの音と光がかけぬける夏の嵐の
今夜の東京、午後十時頃には
　大量の傘と雨

これはいまのところ小さなつまらないことだ
でもとても重要なことになりうる
いまから百万年後に考古学者が
われわれの廃墟の中を通り抜け、われわれを想像で
　描き出そうとするときには

東京　一九七六年六月五日

現実を抽象化する夜の闇と雨のふたつがここにはそろっている。サングラスは目を覆うだけ。衣装ともなると、全身を覆い、人を具体からほぼ完全に切り離す。その衣装をとれば、また具体の世界、現実の世界に人は戻る。「長良川河畔の黒テント劇団の公演のあとで」は舞台では別人となり、食事をするときにはもとに戻るという女優たちの変貌を描く。

化粧をおとし、衣装を脱ぎ、
その役をとりさった女優たちは
死をまぬがれない人間にもどっている
彼女たちが小さな宿屋でしずかに食事をするのをぼくは見る
彼女たちに迷いの影はない　よけいなものが
　ほとんどない聖者のようだ
　つぎの舞台へと
すきがまったくない

　　　岐阜　一九七六年六月七日

化粧を落とし、衣装を脱げば日常の生活に戻るというのは何も女優に限らない。大道芸のパフォーマーなどは典型であろう。決められた時間が来るまで、前の演技者が人々を沸かせている横で、淡々と体をほぐす。このときはまだジャージのようなものを着ている。やがて出演時間ともなり、ジャージを脱ぎ、衣装姿となる。そして人々の輪のなかに登場する。バリ島のケチャクダンスの二人の女性ダンサーも男たちのなかにいつの間にかというタイミングで入り込む。バレリーナ、スケーターとそうした人の数を探すときりがない。あらゆる職業の人が仕事中は多かれ少なかれ衣装、化粧をまとっている。それを拡大し、表情、仕草をまとっていると言ってもよい。そこで裁判官は医師のようではないのであり、警察官は教員のようでないということが起こる。退職をしてもそうした衣装を身に着けたままという人もいる。

衣装をつけていればいるほど、人の動きはぎこちなくなる。衣装をつけることを拒めば社会で生きていけなくなる。

仮面の居留地

衣装の一種に仮面がある。荒木経惟の作品に紙粘土でつくった仮面をかぶる子どもたちの写真がある。友人の美術教室の教師が子どもたちに思い思いの仮面をつくらせ、みなでき上がった仮面をかぶり、それを荒木が撮ったという傑作だ。子どもたちは日常の具体的な自己の生から仮面をかぶることで一瞬の間でも別の世界の住人となる。

だが、仮面はこのようにわかりわかりやすいものだけではない。給料生活者という集団が発生し、それが爛熟した時代、イギリスで言えばヴィクトリア朝の時代、かれらも時に仮面をかぶることになった。ディケンズの作品『大いなる遺産』のウェミックは職場で仮面をかぶりにこりともしない。

ところが家路につき、家が近づくにつれて、顔が和らいでくる。二十世紀でも変わらない。

二十一世紀、仮面はどうなったであろうか。人は通勤電車や地下鉄ですでに仮面をつける。オフィスに入り「おはようございます」と言った時点で仮面は完璧になる。昼間仕事をし、相手に合った仮面を付け替える。夜になり、酒場に繰り出しても別の仮面が必要だ。酒場でかぶる仮面に陶酔する人さえ出る。

都市の中の外国、たとえば横浜中華街。そこは横浜のなかにあって他の地域と性質がことなる。これはまだ分かりやすい例だが、ひとつの都市にたくさんの外国が入り込んでいる例もある。シンガポールがそれだ。リトル・インディアはインド、チャイナタウンは中国、アラブストリートは中東の国々。つまりそうした地域には元来の外国が抽象化されて入り込んでいる。そこに行けば元来の国の輪郭がなんとはなしにつかめる。

さらに簡単に外国の雰囲気に浸るにはレストランがよい。日本にいてタイレストランに行けば、タイの食事を身体に取り込むことになる。スペインレストランに行けば、スペインの食事を身体に取り込むことになる。

ウォン・カーウァイ監督の傑作『天使の涙』（一九九五）に登場するレオン・ライ（一九九六―）は、その稼業に疲れ、ふと、香港の居酒屋に入る。それはマクドナルドという無国籍風の場に入るのとは異なる。そこでレオン・ライは、金城武にこういう店を始めるにはどのくらいかかるかと訊ね、金城武は店長に訊ねよと言う。この居酒屋は香港の地に引用された日本であり、日本をコンパクトにまとめている。本書のことばで言えば、抽象の産物だ。

ここに興味深い写真集がある。Bretta p-07 著『東京外国人』（雷鳥社、二〇〇七）だ。タイトルから想像すると東京に住む外国人を撮った写真集と見えるが、かれらは路上や街中にいるのではなく、自室にいる。かれらも写真の主役ではあるが、すぐに自室という空間こそが主役と見えてくる。人もさることながら、自室こそが、かれらの手で作られた、一部屋、二部屋、ないしそれ以上の東京のなかの小さな外国だ。ただし部屋は日本のもの、家具も多くが日本で手にいれたものらしく、せいぜい、自国から持ち込んだモノがかれらの故国を指し示す程度だ。かれらの部屋は自国の抽象という段階から、日本と外国の折衷というまたひとつ別の空間にできあがっている。日本でもない、外国でもない、それが東京外国人たちの部屋だ。

第四章 脚注

1 植草甚一 田名網敬（一九三六—）の『虚像未来図鑑』（ブロンズ社、一九六九）に文章を寄せている。

2 『ブローティガン 東京日記』『東京日記—リチャード・ブローティガン詩集』（思潮社、一九九二）の再刊。

第五章　旅の具体から抽象へ　創作ノートとトラベル・ライティング

――三島由紀夫、エリオット、川端康成を巡って

『潮騒』の島の抽象と具体

ある日のこと、朝から晴れ渡っていたので、西行の伊勢に出かけようと名古屋から近鉄に乗り込んだ。桑名あたりで伊勢に住む友人に適当な昼食の場を教えてもらうべくメールをする。伊勢市駅で友人が待っている。モーニングの時間でコーヒーを飲み、たずねられるままに西行の伊勢を見たい、というと、今日は代休だという。友人の車の向くままに、大波が来るたびに潮に洗われる夫婦岩あたりを徘徊し、志摩に向かい、人里離れた漁村で昼食をとり、英虞(あご)湾から南伊勢町まで足をのばし、三時ころに外宮(げくう)の駐車場についた。聞けばこの時間帯から日没までがひとつの訪れ時なのだという。目はいつのまにか、外宮の木々へと注がれ、この木を見ただけでも今日は価値有り、との友人のことばに合点する。木漏れ日といい近づきつつある夜の闇といい、初詣の時期にない静寂を満喫する。夜の食事は大小さまざまな木材で作られた店、窓はガラス戸。漱石の『ガラス戸の中』を思い起こす。自然は言うに及ばず、自然のなかに身を投じたほうが、人がつくったものである文化についての考えが加速する。

鳥羽市の海の博物館は展示もさることながら、所蔵の資料が貴重だ。その日、神島についての企画展「神島〜つながり、つむぐ、海村のくらし」が開催されていた。しかも、神島の子ども達が教師に引率され島から鳥羽まで荒波を越えやってきて、学芸員の説明を聴くという場面に居合わせた。

幸運とはこういうことをいう。友人の記者に加え、あと二名の記者が子ども達に展示についての感想を訊いていた。子ども達は自分たちの島の歴史を自分たちの住む土地の外から眺めたということになる。企画展では神島の古代から説き起こされ、近代に至るまでの長い時間のスパンで説明が尽くされていた。神島といえば、三島由紀夫（一九二五―一九七〇）『潮騒』（一九五四）の「歌島」の舞台にされている。

島を舞台とする文学には秀作が多い。近いところでは『東京島』（桐野夏生著、新潮社、二〇〇八）も島の文学だ。小説一作と映画一作に触れる。『潮騒』が出たころ、イギリスで『蝿の王』（一九五四）という作品が出た。作家はウィリアム・ゴールディング（一九一一―一九九三）。第三次世界大戦が起こり、イギリスの少年達が飛行機で学童疎開する。途中、飛行機が墜落し、パイロットはじめ大人はすべて死亡。十数人の少年達だけが島に漂着する。この『十五少年漂流記』（ジュール・ヴェルヌ著、一八八八）風の幕開きの作品は、しかし、冒険譚へと進まず、少年達は狩猟派と漁労派に分裂し、狩猟派は漁労派の殲滅をはかる。

映画では『孤島の王』（ノルウェー・フランス・スウェーデン・ポーランド、二〇一〇）がよい。ノルウェーの島を舞台とした映画だ。その島は、教会の管理下にある少年院だった。たびかさなる過酷な労働はついに少年たちの蜂起をまねき、少年のリーダーは、かかってきた警察からの電話の声の「おまえはだれだ」という問いに「孤島の王だ」と答える。リーダーの少年は仲間をおもい、仲間もかれを支える。大人には理解のおよばぬ心の交流がかれらの間にある。

次は前掲の企画展の「三島由起夫と潮騒の島」というパネルからの引用だ。


昭和28年（1953）の3月と8月に神島を訪れて取材を続けた三島由紀夫は、翌29年に小説『潮騒』を発表します。三島は水産庁を通じ、同27年に訪れて魅了されたギリシャの幻影と重なる「文明から隔絶した人情の素朴な美しい小島」を探し求め、2、3の候補から神島（小説では「歌島」）を選択しました。（企画展パネルより）

三島にとって創作の主題は始めから決まっていた。「文明から隔絶した人情の素朴な美しい小島」を舞台とする作品、その抽象的なテーマを着地させる具体的な島は、神島以外の島もありえた。結果として三島は神島を選んだ。自らのテーマを神島という具体に着地させた。ちなみに三島の言う「文明」は三島の「文明」であって、現代の「文明」観からは距離がある。

『潮騒』は作家の主題という抽象に始まり、選び取られた島という具体に着地した。しかし、作品中の島は神島そのものではないから、歌島となった。

小説は主題から入る作品と、書いてみて何を書きたかったかがわかる作品とに分かれる。

次のカズオ・イシグロのことばを読むとそれがはっきりと見える。イシグロは台湾に行かずとも台湾について書くことができるとさえ考えていた。頭のなかにある想像上の台湾で十分、具体の台湾に足をのばす必要がないという。

「ともかく、書いているとき僕は全知全能の存在なのです。たとえば台湾が舞台の小説を書くにしても、台湾に行けば何かしらのアイデアが浮かぶかもしれないけれど、だからといっていちいち出掛けていくことなんてできない。する必要もない。小説家はノンフィクション・ライターと違って自分の想像のなかでリサーチするのです」（雑誌『スイッチ』「イングランドからの眺め［丘へとつづくゆるやかな道］」、スイッチ・コーポレーション書籍出版部、一九九一年一月、九十二頁）

日本を舞台とした『遠い山なみの光』や『浮世の画家』を日本の読者として読んだとき、これは日本のようでいて日本ではない、強いていえば〝イシグロの日本〟だと感じたのもそのあたりのことが関係している。イシグロは想像の中で自らの日本を、長崎を再構築した。それは二十代になって、自分のなかの日本がしだいに薄れてゆき、このままではなくなってしまうという焦燥から出た再構築作業であった。五歳からイギリスにいたという一種の断絶経験がかれに喪失感を経験させた。日本にいるままであれば、人はいくつもの連続性の糸をもって過去をたぐり寄せることができるから、イシグロのような喪失への危機意識というものは、過剰に出ない。

旅とフィクション

旅と一人称による語りを合わせ、トラベルとモノローグを合わせたトラヴェローグという用語は、旅中で思いを語ること、旅ののちに思いを語ること、旅について思うところを語ること、そうした思いを書き記したもの、というほどの意味だ。英語圏の国の旅行書専門店にはトラヴェル・ライティングという棚があり、日本で言えば紀行の類が無数にならんでいる。トラヴェル・ライティング、つまり旅についての書き物という意味にとってもよい。

旅を大雑把にノンフィクションとフィクションにわけておくことは必要だろう。書き手が事実と思い込んで書くノンフィクションと、これはつくりものと承知で書くフィクションは違う。思い込んで、というのはいささか斜めから見てのことだが、書き手にとっての真実がかならずしも真実ではないことはいくらでもある。通りすがりの旅人の目に映ったものが、たまたま本人にとっての真実でしかないことが往々にしてある。だが、書き手はこうだった、ああだった、と書き続ける。日時はこう、場所はこう、天候はこう、会った人はこう、という具合に。それをあとから読むと、あたかもほかに選択肢がなかったかのように見える。ほかに選び取られるべき現実、果ては、真実はなかったかのように見える。ところが実際は、たまたまそうであったので、そうでなくてはならなかったということはない。多数の可能性のなかから、たまたま選び取ったひとつを旅の現実としてわたしたちは思い起こす。そこが、あらかじめ定められたことを完遂する日常と、どうとでも予定を変えることのできる非日常、つまり旅の違いだ。

ノンフィクション。書き手が創作の誘惑に抗しながら、ほぼ経験とおぼしきものを書き取った作品。フィクション。書き手は自由な旅を描く。ありもしない世界に出かけていく。映画『ミクロの決死圏』（アメリカ、一九六六）のように人体のなかを旅するものまでここに入ってくる。

旅は要約不可能なもの。とはいえ、人は人生という旅を自伝に収め、大旅行を紀行に収める。それは書き手によって大きく異なるが、旅のあと忘却に任せてはならじという何かがそこにあるからだろう。その何かをつかめたら、本書は目的の大半を達成したことになる。もとより先人の旅を頭のなかでたどるほど楽しいことはない、その楽しさだけでもトラヴェローグを読む目的は十分に達成されているのだが。

人の紀行を読んでいるうちに、自分の旅をしたくなり、元来の旅の目的地に着かぬこともある。旅行記を読むのは自分の旅に弾みをつけるためと考えれば、それも悪くはない。

そして旅の種類も、過去への旅、未来への旅、広場への旅、認識への旅、庵への旅、発見の旅、戦いの旅と多く、いかなる移動も大小問わず旅となる。平凡な男性のダブリンでの一日の物語、ジェイムズ・ジョイス（一八八二―一九四一）の作品『ユリシーズ』（一九二二）が読み継がれていくのも、それが旅の物語だからだ。

西行と芭蕉への旅

飛行機や新幹線での移動が増えると対極の移動手段の歩行に目が向く、西行から芭蕉そして現代にいたるまで、歩行は基本的な移動手段だ。現代にあって歩行はひとつの贅沢とまで言える。新幹線、さらに日本からヨーロッパまでの機上の長旅でもっともしたくなることは、食事でもアルコールでもなく、トイレまでの短い距離を歩くことだ。

西行では、いくつか後世の人を惹き付ける土地がある。吉野、中尊寺、日坂（にっさか）から小夜を抜け金谷（かなや）に至る道。時代は前後する。西行ゆかりの地の伊勢市は、先に触れたとおり名古屋駅から特急で約一時間半、東京からでは遠いという気がしなくもない。奈良の吉野もしかり。

奈良県吉野駅。バスで中千本まで行く。中千本で奥千本まで行くさらに小さなバスを待つ。待ち時間、あたりを歩くと茶店があり食事ができる。奥千本を見ると主に話しバス停に向かおうとすると、主が「また、のちほど」と言う。その意味がわかったのは、奥千本を眺め、西行庵までの断崖を往復したあとのことだった。実際、西行庵に至る道では、何度、勇気ある撤退が脳裏をかすめたことか。右側に手すりがあるものの、左側は断崖で、小道自体もますます細くなる。それでもどうにか庵に辿り着く。来た道をまた戻り、今度は右側に転落しないように注意しながら奥千本に辿り着くと、帰りのバスは出ていた。大きな地図の書かれた看板を前に方角を確認していると、サイクリストが来た。この道を降りれば中千本に出られるということですかと確認すると、丁寧な返事が返ってきた。長い道を下り始めた。

歩くこと一時間以上、はるか眼下や遠方の山々を眺めながら下り坂に身を任せていると、やがて午前中に来た見覚えのある風景がひろがった。なんのことはない。道は例の茶店に通じていた。「また、のちほど」の意味がわかった。茶店でいなり寿司を食べ、さらに下り青不動を見て、吉野駅へ。

日本の紀伊半島のまんなかの、よく整備され、電車の便も悪くない場所でも、旅では予想外のことがおこる。出発の時点では予想もしなかったことが途上で起こり、帰ってくると、ひとつふたつ賢くなっている。

イギリスの作家ジョナサン・スウィフト（一九六七—一七四五）の古典『ガリヴァー旅行記』（一七二六）でガリヴァーが四つの国々を旅するというのもうなずける。人は複数の旅をしてやっと賢くなりはじめる。それでも足りないと、帰っては次の旅の計画を立てる。

静岡県の新幹線停車駅掛川駅からバスに二十分乗り、旧道を歩いて越える小夜の峠は、かつては鈴鹿峠、箱根峠とともに三大難所と言われもしたものの、現代にあっては、適当なハイキングコースだ。西行も芭蕉もこの地で歌や句を残している。歌碑や句碑もたくさんある。

芭蕉の足跡は西行の足跡をたどるようなところがあり、かさなり具合もおもしろい。それほど昔に遡らなくてもよいのではと若い読者は言うかもしれない。ところが若い読者もやがて芭蕉がわかるときがくると、妙に年長者ぶる境地になったのは五十歳代になって。芭蕉はその年齢で亡くなっているから、こちらの理解が遅いという言い方もできるが、現代にあっては、還暦を過ぎてからでも芭蕉の旅が経験できるほど、道路網、鉄道網は整備されている。

芭蕉の旅程を調べているうちに、すでに出かけた場所がかなりあることに気づいた。若い頃の東北旅行で中尊寺、日常的な移動の対象でもある東海道、北陸の旅で北陸三県、関西への旅で落柿舎などなど。ふと気づいた。芭蕉の生地が名古屋から高速バスで二時間。このバスのことを知り、午後から一泊の旅に出た。名古屋駅に名鉄バスセンターというターミナルがあり、バスが各方面に出ている。今は東京に新宿バスタができたので規模という点では小さいが、ホテルのエレベーターを上がるとバスのターミナルがあるというカラクリは旅情につながる。

バスに乗ること二時間、伊賀上野駅の近くが終点。日の落ちぬうちに芭蕉の菩提寺と生家を訪ねる。インターネットや印刷物で伊賀上野の町の地図や歴史に目を通し、明日に備える。上野高校には『旅愁』（一九〇七）や『上海』（一九二五）の作家横光利一（一八九八―一九四七）が通っていたので、近代以降の文化遺産もたくさんある。

翌朝、まずは蓑虫庵に向かう。芭蕉の庵で唯一原型をとどめている建物だ。蚊をよけながら、内部や庭園をくまなく歩く。室内では、どの位置から見ると何が見えるかとひとつひとつ確認しながら歩く。庭も同様だ。ここから見るとよいという位置が文化財にはよくあるが、それだけ見ていると見落とすものが出てくる。可能なかぎり、位置を変えて見る。家を建てた人はこういう経験をする。設計者や現場監督と事前に入念に打ち合わせをする。設計図書に目を通す。上棟式後の建築中もこまかく内部を見る。写真も撮る。完成後、住み始める。と、設計図書や建築中の内部見学では想像もしていなかったような立ち位置が見つかり、そこからの家の中の眺めが独特であったりして大いに驚く。そうして部屋を変えて寝てみたり、模様替えをして椅子の位置を変えたり、たまには脚立の上に上がって見ると、ひとつ、ないしせいぜい一桁であった家のイメージが実は無数であることに気づく。建築物の見学は、そういうわけで時間を要する。茶室のような小さなものでも、油断できない。どこに昔の人の遊び心が潜んでいたかなどは、容易にはわからない。そして松尾芭蕉記念館。大垣の松尾芭蕉むすびの句記念館とはまた違った風情がある。

具体と抽象の月

「具体と抽象の旅」を始めるなら出発点は簡単に決まる。東京駅だ。「東京」という首都の名前は、しばし抽象的に扱われ、日本を代表する地名とまでなっている。東京駅から東へ進路を取る。高速バスで佐原市に向かい、伊能忠敬ゆかりの地を見る。地図とは土地という具体に対する抽象だ。

月はひとつ、どこから見ても月。見えると思って出かけ見えないこともしばし。気がつけば、伊能忠敬記念館は方角的に芭蕉四十四歳の旅、鹿島紀行にかろうじて重なる。その旅で、「月」の字の入る句を四句詠んでいる。「月」の入らぬ句も月待ちの構えだ。

月はやし梢は雨を持ながら
寺に寝てまこと顔なる月見哉
この松の実生えせし代や神の秋
刈りかけし田面の鶴や里の秋
賤の子や稲摺かけて月を見る
萩原や一夜はやどせ山の犬
芋の葉や月待里の焼畑

（芭蕉が鹿島紀行で詠んだ七つの句）

同じ月が場所で異なる。月を世界中で見ている。ある年の夏、ロンドンで皆既月食が見られた。テレビではドルイドがスニーカーを履いた女性たちと輪を描いて踊る場面が報じられ、ロンドン市民は盛り上がっていた。地下鉄トテナム・コート・ロード駅付近で皆既月食を見た。ふだんはそれほど室内にいるのかと思われるほどの人々が外に出て、空を見上げていた。芭蕉も日本風の月見も月餅も無縁の世界だった。

月はひとつながら、土地ごとに、人ごとに、いろいろな意味が付け加えられる。月はそうした意味の群れのシンボルとなる。太陽や他の惑星がそうであるように。ところが月も太陽も惑星も人が付けた意味と無関係のところで動いている。意味を付着することでその動きもなんとかなると考える、あるいは、人にそう思わせようと考えた人が後を絶たなかった。

日記と作品ノートの抽象

これまで文学作品では主に小説や紀行をあつかってきた。日記や作品ノートはどうだろう。イギリスの日記文学の始めにくるのは『サミュエル・ピープスの日記』（一六六〇―一六六九）だ。世渡りのうまい世俗性を兼ね備えた男がイギリスの海軍大臣にまで出世する。そのかれが妻に内緒で独自の暗号のようなものを考案し、日記を書き、残した。内容はかなり露骨で、金、健康、事件などが中心だ。この世とはなにか、世界とはなにかといった問題は埒外で、具体的な記述が続く。

他方、同時代のジョン・イーヴリン（一六二〇―一七〇六）の残した日記というのは具体的な記述は天候くらいで、淡々とした当時の文人の内面を垣間見ることを許す。

ローレンス・スターンの『トリストラム・シャンディの生活と意見』（一七五九）は小説だが、話は遅々として進まない。その進まない状態をある作中人物が次のように図示する。抽象化だ。

小説という表現の発生時点からすでにメタフィクションがあった。いや、作家が自らを曝すことから自らを隠すことへとメタフィクション的に展開していったのが、小説の歴史といってもよいかもしれない。二十世紀後半、一度隠れたメタフィクション性が再び表面に出てくることになった。

具体と抽象ということが気になり始めたのは今から四十年以上も前の一九七〇年代のことで、そのころはイギリス、ヴィクトリア朝の小説を読んでいた。イギリス十九世紀ヴィクトリア朝には数々の名作[1]がある。

ジェイン・オースティンは未婚だったが、若い娘の縁談を扱った長編小説を六作品書いた。年代順に並べると、『分別と多感』（一八一一年）、『高慢と偏見』（一八一三年）、『マンスフィールド・パーク』（一八一四年）、『エマ』（一八一六年）、『ノーザンガー寺院』（一八一七年）、そして『説得』（一八一八年）という順になる。作品のタイトルが固有名詞と抽象名詞に分かれているところが気になったものだ。『分別と多感』、『高慢と偏見』、『説得』は抽象的な表現。それに対し、『エマ』は女性の固有名詞。『マンスフィールド・パーク』と『ノーザンガー寺院』は屋敷のある土地と屋敷、ないし屋敷そのもので、固有名詞。作家は固有名詞と抽象名詞を使いわけていた。抽象名詞はその作品のテーマを言い当て、固有名詞はその作品の場所や個人を言い当てていた。メタフィクション性をすべて取り除くことはなかったものの、語り手の姿を相応に隠した作家としてヴィクトリア朝の大作家ジョージ・エリオットがいた。

ジェイン・オースティン、エリザベス・ギャスケル、ブロンテ姉妹。作品の抽象度の高そうな作家としてエリオットの名が浮かぶ。エリオットは土地差配人の娘に生まれ、父の勤める屋敷の図書室で読書に励むことができた。後年、交流のあった人物にハーバート・スペンサー（一八二〇―一九〇三）や後に共に暮すジョージ・ヘンリー・ルイス（一八一七―一八七八）といった知識人がおり、かれらとまともに話をすることができた。比較的活動範囲の狭い他の女性作家たちとは異なる環境のなかで成長した。そこで代表作を並べると、『牧師館物語』（一八五九年）、『フロス川の水車小屋』（一八六〇年）、『サイラス・マーナー』（一八六一年）、『ロモラ』（一八六三年）、『フェリックス・ホルト』（一八六六年）、『ミドルマーチ』（一八七一―一八七二年）、『ダニエル・デロンダ』（一八七六年）となる。『アダム・ビード』（一八六七年）、『アダム・ビード』、『サイラス・マーナー』、『ロモラ』、『フェリックス・ホルト』、『ダニエル・デロンダ』と五作品までが人名、つまり固有名詞が作品名になっている。あとは『フロス川の水車小屋』という建物、つまり地名に準ずるもの、そして『ミドルマーチ』というコヴェントリーという都市をモデルとした架空の土地の物語だ。

抽象を好むかに見えるエリオットだが、作品名には人物名、固有名詞を選んでいた。本来、抽象的なものに向かいがちな作家で、作品タイトルにまでなっている作中人物たちは、ともすると現実離れしたでき映えということもしばしばであった。具体と抽象のバランスが一番うまくとれているのは、やはり『ミドルマーチ』で、これが最高傑作ということになっている。

まずは複雑な一文から。イギリス、ヴィクトリア朝の文章家たちには長いセンテンスで難しいことを言おうとする傾向があった。エリオットの『ミドルマーチ』は、小説であるにもかかわらず、その文体は時として哲学的論考のそれだ。

Miss Brooke had that kind of beauty which seems to be thrown into relief by poor dress. Her hand and wrist were so finely formed that she could wear sleeves not less bare of style than those in which the Blessed Virgin appeared to Italian painters; and her profile as well as her stature and bearing seemed to gain the more dignity from her plain garments, which by the side of provincial fashion gave her the impressiveness of a fine quotation from the Bible, — or from one of our elder poets, — in a paragraph of to-day's newspaper.

（ジョージ・エリオット『ミドルマーチ』第一章）

これは作品冒頭部分で、最初のセンテンスこそ二行におさまっているが第二のセンテンスは、どの版でも五、六行と長くなっている。Miss Brooke と最初は固有名詞から始まるが、その後に beauty という抽象名詞がくる。しかもその抽象名詞には限定が付いていて、beauty と言っただけの場合に生じる凡庸を避けている。最初の文にして、作中のヒロインという具体的人物の形容に抽象名詞を当てている。ヒロインのブルック嬢は地方都市に住む裕福な家の長女で妹のシーリア、叔父のブルック氏と暮している。両親は他界している。その他は何不自由なく育った令嬢とはいえ、その手と手首のかたちのよさを形容するため、エリオットは聖母マリアとイタリア画家たちを持ち出す。そして質素な装いにいっそう引き立つというその横顔と立ち居振る舞いを表現するために、次のようなパラレルを提示する。

地方のファッション　↑↓　ブルック嬢
今日の地方の新聞　↑↓　聖書からの引用、古の詩人の詩からの引用

これを具体の世界と抽象の世界の対比と考えてもよかろう。今日の地方の新聞がその時空の現実を反映し、具体を反映しているとするならば、聖書からの引用や古の詩人の詩からの引用は、かけはなれた世界から日常に舞い降りてきたもの、抽象の世界から具体の世界に舞い降りてきたものなのだ。

作品冒頭で言うともなくそのように宣言している作家は、以後、ミドルマーチというイギリスの地方都市の日常の生活に、さまざまな引用を凝らしては抽象を持ち込む。その評価は好みの問題というところまで行く。

『ミドルマーチ』執筆のためにエリオットはノートを作成した。多くの作家がノートをとる。同時

代の作家ディケンズもノートをとった。最後の完成作品『エドウィン・ドルードの謎』はそのノートとともに日本語でも容易に読むことができる。ノートという抽象が作品という具体に結実する。そう考えると、作家のノートは恰好の読み物となる。夏目漱石の日記と作品、吉村昭のノートと『戦艦武蔵』、『遠藤周作日記』と遠藤の作品群と、双方を読むことで読書は深化する。ノートだけを読み、自分であればこのような作品に具体化するという吸収のしかたもあろう。作品だけを読み、この作家はどのようなノートや日記を書いていたのであろうかと思いめぐらすこともできる。そうこうしているうちに、読者でありつつ、みずからがノートという抽象を作成するときに作品という具体がうかんできたりすることさえあろう。それはもう書き手の領域に一歩足を踏み入れていることを意味する。

三島の紀行文、川端『古都』の抽象

三島由紀夫（一九二五―一九七〇）の紀行を集めた『三島由紀夫紀行文集』（岩波文庫、二〇一八）の冒頭の航海日記は、およそ移動するという営み、旅をするという営みを、抽象と具体のふたつに大きく分けて表現し尽くしており、その割り切りが小気味よいと同時に、他の作家の旅、航海、日記について考える上でもおおいに参考になる。

サンフランシスコに向かう太平洋上、十二月二十六日、三島は一人で朝食をとりながら、船の生活を『千夜一夜物語』の筆法をもってするなら「それから私たちは、十四日の航海を経て、バグダッドに着きました」と「一行に尽きる」と言い切り「航海日記はほとんど意味がない。ここには行為が欠けているから、書く価値がない」と理由を添える。そして抽象的な生活と具体的な生活との違いに考察は移っていく。

船客というものは抽象的なものだ。プロムネイド・デッキを初老の夫婦が、腕を組んで、衛兵のように規則正しく行ったり来たりしている。私はデッキ・チェアに寝ころんで、この単調な動物の運動を見物している。少なくとも四ヶ月、私は仕事をしないでもいい。仕事をしていない時のこういう完全な休息には、太陽の下に真裸で出てゆくような、或る充実した羞恥がある。

（『三島由紀夫紀行文集』十一頁）

初老の夫婦は、三島によれば、身体を動かしてはいるが、「行為が欠けている」ということになる。では、かれらの心は動いているのかというと、それも案外、そうではないと言う。

船客たちの抽象的な生活、それは必ずしも純粋な精神生活の保障とならない。目の前の単調な散歩がその一つの証左であるが、精神生活と肉体生活が殆ど同様の意味をしかもたないようなそういう抽象的な生活なのである。精神生活が溌剌としているためには、肉体がもっと具体的なものにつながっていなければならない。ところがここでは具体的なもにに、たとえば海という自然に肉体がつながる場所とては、ただあの船酔いという場所を措いてはないのである。(同)

ただし船の上の人間のすべてが抽象的なのではない。船員達は「具体的な躍動する生活」をたえずおくっている。ただし「こうした具体的な生活の営まれる場面の更に彼方から、航海のあいだ、自然はなお、鉄壁をとおして船客たちの抽象的な生活に影を投じて来る。それが船酔いなのである(同、十二頁)。

船酔いにかかっている人物がこれを読んだら、ますます船酔いがひどくなりそうなまでの理屈っぽい文章だが、三島にあって、ここに限ってのことかもしれないが、抽象的と具体的という二分法が精神的と肉体的という二分法に照応していたということが露になっている箇所として記憶に値する。しかも精神的と肉体的は切り離されていない。

三島とくれば年齢は後先になるが川端康成を読み返したくなる。

全作品のなかで成立年代が遅い『古都』(一九六一)を開く。千重子と苗子の世界。北山の急の雨に苗子が千重子の身を上からつつむ。そのぬくもりの具体的描写のみで姉妹の愛といったものを表現する川端の筆致には頭が下がるばかりで、『古都』が単に京都案内だと揶揄されようとも、それはどうでもよく、川端が案内してくれるのであれば喜んで任せたくなるほどだ。ところが抽象ということばを使う川端の筆の運びは月並みといえるほど危うくなる。たとえば千重子の血のつながらない父・佐田太吉郎が千重子ともども被れている画集への、作品中の言及だ。

それは、パウル・クレエとか、マチスとか、シャガアルとか、またもっと現代の抽象の画集だった。新しい感覚でも呼び覚ましはしないかと、千重子が父のために買ったものであった。

（『古都』四十九頁、新潮文庫）

ただし川端の抽象の筆の運びが月並みと結論づけるのはまだ早い。この引用箇所は、父いとおしさに娘が手にとった「抽象の画集」をそのままそう呼んでいるだけなのだから。川端の初期の作品から再読していけば、かれの抽象と具体はこれまでに触れた作家たちとはまた別の様相[2]を呈しているのかもしれない。

作品世界の抽象性

何か不思議なところに迷い込んでしまって出られないという話は、イギリスの連続テレビドラマでいえば、『プリズナーNo.6』（一九六七―一九六八）がわかりやすい。ある男が上司に辞表を叩き付けて職場を去り、ロンドンの自宅で休んでいると、鍵穴から白いガスが吹き込まれ眠りに落ちる。目が覚めて見ると、部屋のつくりは似ているがどうもおかしい、外の様子もおかしい。男は、現役時代に諜報員として活動していた人々が退職後に送り込まれる人里離れた遊園地のような村に送り込まれたのだ。十五回シリーズの番組で毎回脱出を試みるが成功しない。人間は閉じ込められている、世界は牢獄であるというメッセージは、イギリスにその例が多く、十九世紀の文豪チャールズ・ディケンズの作品『リトル・ドリット』あたりにそのピークがある。負債者監獄で生まれた娘が、寒風吹きすさぶロンドンの街のなかで、それでも負債者監獄という屋根のついた場所で眠りにつけるほうがましと知るに至る場面は、住居という空間がもたらす保護と束縛の二面性を読むものに知らしめる。

吉田健一（一九一二―一九七七）の『金沢』（一九九〇）は小説のようでいて、小説ではない、どこか日記のようなところがある。小説も日記も文章でできているのだから、一冊丸ごとではなく、最少単位としての文章、つまり一文のみに焦点を当てれば、その一文が小説のなかの一文なのか日記のなかの一文なのかもはやわからなくなる。これは英語圏の作家、たとえばナイポールの作品などを読んでいても感じるところだ。日記はえてして小説より日常的、具体的だが、小説仕立てで、しかも作者が金沢の話であって金沢の話でなくてもよいと冒頭で断っているのだから、話は金沢という具体的な場の物語として読んでもらってもよいが、同時にどこの地方都市でも、場合によっては外国の都市でもかまわないということになる。作品の抽象度は一気に増す。すると、問題は土地というよりも、土地の人々の具体的な営みの奥にある抽象性を読者は楽しむことになる。それが『金沢』の魅力だ。

いま触れた作品群に比して、安部公房（一九二四―一九九三）の『砂の女』（一九六二）はその抽象度の高さゆえ、さらに時代を超越しているという印象を与える名作だ。その映画、勅使河原宏監督作品は岡田英次（一九二〇―一九九五）と岸田今日子（一九三〇―二〇〇六）の主演で、あとは村人が時々出てくるという演劇的構成の作品。高校教師の岡田は、東京から砂丘のある土地に、そこで生息する昆虫を採集しに来た。採集に熱中するあまり最終バスに乗り損ない、村の住人の案内でとある家に泊めてもらうことになる。その家は砂丘の穴のような窪地に建ち、出入りには縄梯子がいる。岡田を待ち受けるのは岸田の演じるその家の住人で、夫と娘は砂にのまれて亡くなったという。奇怪な家に一泊した岡田は翌朝出発するが、縄梯子がない。岡田は村人にこの家に幽閉され、それは岸田も承知してのこと。岸田はこの男手である岡田の世話をかいがいしくやき、夜は砂の運び出し作業に精を出す。村のからくりを知った岡田は何度も脱出をこころみる。しかしかなわない。だが岸田が病に倒れ運び去られると、岡田は妙に落ち着き、そのときに置き去りにされた縄梯子で逃げるでもなく、砂漠で水を採取する実験に勤しむ。岡田は村の住人になってしまったかのようだ。冒頭から七年の歳月が経過し、岡田の他界失踪が宣告される。

安部の他の作品の霧や雨に負けず、ここでは砂も物語の抽象化に大いに貢献している。砂のあるところすべて砂との闘いがあるという岡田の科白は、目の前の砂の掻き出し作業が、人の生きるための普遍的行為であるという岡田の抽象的な認識を示す。観る側も、このモノクロの作品の時代も場所も抽象化された作品として自由に解釈することができる。一方で、あらゆる証明書を駆使して自分のアイデンティティを証明することを余儀なくされている現代人の岡田が、証明書などなんの役にも立たない現実的な村人の具体的日常に溶け込んでしまう。自分が考案した砂漠から水を採取する方法を最も熱心に聴いてくれるのは村人だとさえ言う。

これに対し、イシグロの『日の名残り』と『わたしを離さないで』は、初めから主人公は問題の場にいる。問題の場とは作品で主人公たちが外から入り込む場のことだ。『日の名残り』の主人公の執事スティーヴンスは物語の冒頭からダーリントン・ホールにいる。かれはホールを離れたことがない。そうであればこそ、新しい主人はかれに気晴らし半分に西への旅を勧める。その旅はしかし、かつての同僚の女性が住んでいるというだけのありふれたイングランドの土地で、冒険の地ではない。ところが旅の途上、スティーヴンスの認識が反転する。自分のこれまでの人生は何であったのかと。

『わたしを離さないで』のキャシー、ルース、トムは作品冒頭ですでにそこにいる。そことはヘールシャムという施設で、かれら子どもたちは外部から遮断されているが、ある時点まで、平穏な人生をおくっている。外部からの闖入者はここに着任した新任の教師のみだ。では、何が変わるのかといえば、それは子どもたちの認識だ。かれらは自分たちに担わされている役割を徐々につかむ。そして一定の年齢になると外の世界に出ていく。トムやルースのように役割を果たすために、キャシーのように仕事をしたのち役割を果たすために。

カズオ・イシグロ作品の抽象（二）

カズオ・イシグロ作品の抽象についてはすでに、『わたしたちが孤児だったころ』のバンクスとオズボーンの「哲学」についての会話に垣間見たが、ここではまず、『日の名残り』までの、抽象としての俯瞰を見ておく。

手元には雑誌『スイッチ』（一九九一年一月号）がある。濱美雪の「イングランドからの眺め［丘へとつづくゆるやかな眺め］」という文章だ。大きな木の下に佇むイシグロの写真や仕事場の写真が入った洒落た記事だ。書かれてからほどなく三十年の歳月が経つが、イシグロ理解に重要なことはこの記事でかなり出尽くしているように見える。『日の名残り』が出たすぐあとのインタヴュー記事で、このために濱はイギリスに渡り、ロンドンの南シドナムに向かう。そこでイシグロの家を訊ね、イシグロ夫妻をバンで拾い、作品の舞台をめぐるという趣向を文章にしたものだ。一行はまず、イシグロがイギリスで両親と共に最初に住んだギルフォード[3]からハンプシャー州周辺、ソールズベリー、オールド・セイラムの丘、ウィルトシャー州バース、ホームウッド・パークというホテル、ウェイマスと周り、ロンドンに戻る旅をする。その土地土地で、濱はころあいを見ながらイシグロと話をする。最後は濱が日本に戻って長崎の稲佐山に登るところで文章は終わる。

抽象と具体を論じる本書にあって、この旅を記した文章から、重要な点を三つ引き出すことができる。まず濱の指摘する高いところ、つまり丘がイシグロ作品では重要なのではないかということ。この指摘にイシグロはそれを意識していないという。しかし、長崎の稲佐山に『遠い山なみの光』の悦子の足を運ばせる時、イシグロはその高みを認識の広がりの場として悦子に提供したのではないかと論じる濱の推測は、ほぼ間違いない。濱の指摘とおり、高いところ、つまり丘が『日の名残り』のなかで重要であるというのも、そのあたりと関係している。

それはこの雑誌が出た段階ではまだ影も形もなかった小説『わたしたちが孤児だったころ』の戦闘場面でさらにはっきりする。バンクスのことばを信頼するならば、探偵業を営み、両親の消息をつかむために上海に渡ったバンクスは、かつての住居のあったあたりを探して砲火のなか迷路を彷徨うが、そういうことをしていたら全体というのもが見えないではないかと、日本軍の大佐の指図で、その地域を一望する高みに登る。そこから地域全体を俯瞰すれば自分の位置も自ずとつかめるであろうというのが大佐の言い分だ。懸命な軍人である。この大佐、しかもこともあろうにディケンズの愛読者という設定になっている。

次も濱の証言を敷衍しての話だが、イシグロは、濱が個別の質問をすると、すぐに一般論に置き換えてしまうことがしばしばあったようだ。個別という具体を一般論という抽象世界に近づける姿勢と言ってもよい。

最後は人生に失敗した人物の克明な描写。スティーヴンスしかり、小野しかり。作家は、ある種の典型としてかれらを登場させている。そのため読者はどこかしら思い当たるふしがあり、自分の生き方を振り返る。そしてできることならば、スティーヴンスやバンクスのような人物になることを避けられたらと思う。

以上、三つの抽象がその後のイシグロ作品鑑賞の鍵になっていく。

ただし、「日本的」と表現される最初の二作品に続き、今度は「イギリス的」と形容される『日の名残り』を書いたところで、イシグロは新境地に向かう。それが日本ともイギリスとも違う、ヨーロッパのどこかの都市を舞台とする作品、つまり『充たされざる者』の創造につながった。

『遠い山なみの光』は抽象的な日本、『浮世の画家』も抽象的な日本、『日の名残り』はそれよりは具体的なイングランド、そのあとにつかみ所のない都市を舞台とする『充たされざる者』が続く。

事実『充たされざる者』は長い。

見慣れぬ土地という抽象化

『ザ・ビーチ』（二〇〇〇）で知られるアレックス・ガーランド（一九七〇―）の世界で目をひくのは、平凡な日常から脱したいと願う男性主人公が、さてその夢を実現したところ、とんでもない世界が待っているという状況だ。時間をかなり遡る話となるが、ポーランド出身で船員を経験したのち、イギリスに帰化したジョゼフ・コンラッド（一八五七―一九二四）の作品、なかでも『闇の奥』（一八九九）といった作品に連想がつながる。主人公マーロウはベルギーの船会社の船でコンゴ川（ザイール川）を遡上し、帝国主義の最前線を見てしまう。映画の『ザ・ビーチ』では、レオナルド・デカプリオ扮する若者リチャードがバンコクでのバックパッカー生活に飽きがきているという設定から始まる。知り合ったフランス人夫婦もそうで、かれらは楽園の島の噂に興じる。と、ある人物が、妙な地図をリチャードに残して変死する。好奇心に駆られた三人は意を決し島に向かう。その島には楽園という明の部分があり、実はそのすぐ隣には現地の麻薬組織の秘密の畑という闇があった。楽園の住人も隣地の見張りの男たちも、最初は互いに不干渉の関係を続けていたが、やがてそのバランスが崩れる。リチャードや楽園の住人は、およそ楽園の永続は不可能と悟るかのように、静かにかつての楽園を去る。以上はガーランドの別の作品『エクス・マキナ』（二〇一五）の世界を理解するための基礎知識にもなる。主人公は検索エンジンの会社に勤める男性社員。くじが当たって、同僚にうらやましがられながら、創業者の社長から別荘に招待される。足はヘリコプターだ。

話を喜劇的な方向にもっていくと、夏目漱石の『坊ちゃん』でさえも、東京から地方の中学校に赴任する、つまり未知の世界に行き、未知の性格の人々や人間関係に接し、これはかなわぬと東京に戻り、教員もやめるという話にもみえる。坊ちゃんはその後、電気技師になった。職業的な着地点が技術者というところがおもしろい。具体的な職業に就いた。かれには、ことばで生徒に教えるという抽象的作業よりは手ごたえがあったのだろう。

漱石も教員をやめた。『文学論』などまさにことばで書かれた作品をことばで論じるという隔靴掻痒の世界で、それならばことばの生成に与りたいと作家の道に進んだという言い方もできよう。作家であれば、意味を創造できる。

『坊ちゃん』を旅行記、紀行と見なせば、『三四郎』も紀行ととれる。熊本から東京に至る三四郎の旅は発見の連続だ。名古屋で女性と相部屋になりたじろぐ様子など、喜劇も極まる。漱石が『喜劇論』のあるジョージ・メレディス（一八二八―一九〇九）の愛読者であったことに思い至る。三四郎は東京に着いてからも東京を経めぐる。そのあたりを問題意識にまとめたのが小川和佑の『「三四郎」の東京学』（ＮＨＫ出版、二〇〇二）だ。おもしろい本で、考えてみれば、小説の作中人物の数だけ、東京本ができあがるということになる。

『闇の奥』、『坊ちゃん』、『三四郎』、『ザ・ビーチ』、『エクス・マキナ』は、互いに距離のある作品ではあるものの、主人公は見慣れぬ土地、見慣れぬ場に行き、それからどうなるかという話だ。カズオ・イシグロの『充たされざる者』もこの系譜で考えることができる。『わたしたちが孤児だったころ』の上海も、主人公バンクスにとって幼少時に少しばかり知っていた土地とはいえ、成長して探偵として新たに分け入るべき世界であった。

第五章 脚注

1 **数々の名作** だいたい十人くらいの作家が重要で、ジェイン・オースティン、ジョージ・エリオット、ウオルター・スコット、エリザベス・ギャスケル、チャールズ・ディケンズ、シャーロット・ブロンテ、エミリー・ブロンテ、アン・ブロンテ、ウィリアム・サッカレー、ジョージ・メレディス、ジョージ・ギッシング、トマス・ハーディといった作家がいた。

2 **別の様相** 『伊豆の踊子』を含めた川端のすべての作品については別途、たとえば「継承」といった用語を軸にあらためて稿を起こしたい。

3 **ギルフォード** これについてイシグロはこの時点から倍ほどの年齢に達したときのノーベル文学賞受賞講演で詳しく述べている（『特急二十世紀の夜と、いくつかの小さなブレイクスルー』、早川書房、二〇一七年）。

第六章　抽象のアジア

ウォン・カーウァイのメタフィクション

カーウァイ、非日常と仮面

香港の映画監督、そして脚本家のウォン・カーウァイ（王家衛、一九五八―）の作品に見られるメタフィクション性に言及しながら、映像作品の抽象と具体について考えたい。

カーウァイに修業時代があったことはよく知られている。ここでは修行時代のローカルな活動から突き抜けた、国際的評価が定まった各作品に限定し、駆け足で解説したのち作品のメタフィクション性について考察する。

『いますぐ抱きしめたい』（一九八八）は理不尽な作品だ。登場人物の行動も突飛なら、映画の展開も気まぐれとみえる。義兄弟の兄が弟をかばい、しだいにかばいきれなくなって悲劇に至るという抽象的な世界とはほぼ無縁の世界だ。作中人物たちは日々、だれもかれも目の前の感情に突き動かされて生きている。『花様年華』（二〇〇一）を知っている者にとっては、そこで名演をしたマギー・チャンが一九八〇年代後半にどのような演技をしていたのであろうかという点に関心が向いてしまう。ひとりの女優の成長に驚く。動きの激しい演技から静に至るまでの過程に目が向く。

『欲望の翼』（一九九〇）は育ての母という具体的な存在と実の母という遠く離れた、抽象的な存在、どこかにいるはずで、どういう人物かわからぬ存在の間で、揺れ動く息子が主人公だ。実の母の正体を知るまでは、自分の立ち位置は決まらぬままに映画は進行する。実の母の居所をフィリピンと突き止めたものの、再会という旅の目的は果たされず、主人公はあえなくこの世から消えてしまう。実の母との再会を目指す旅がこの世の最期の旅となる。アメリカ人の三人の息子が母に会いに行く旅の物語『ダージリン急行』（アメリカ、二〇〇七）のもつ、三人だから乗り切れるという気楽さは、『欲望の翼』にはない。

『恋する惑星』（一九九四）はフェイ・ウォン（一九六九―）とトニー・レオン（一九六二―）と金城武（一九七三―）のだれに注視してもおもしろい作品だ。警官のトニー・レオンが軽食を求めフェイ・ウォンのアルバイト先に通う。別れたスチュアーデス（当時はCAという言い方をしなかった）に自分のマンションの鍵を渡すよう、フェイ・ウォンはトニー・レオンから頼まれる。だが、この警官に関心のあるフェイ・ウォンは、警官の勤務時間を見計らって、部屋に入り込み、部屋の生活を楽しみ、インテリアを微妙に変えていく。フェイの憧れの地はパパス・アンド・ママスの曲『カリフォルニア・ドリーミング』（一九七九）にあるカリフォルニア。最後にフェイが軽食の店の主人となったトニー・レオンの前にスチュアーデスの恰好で久しぶりに登場するという趣向だ。アルバイトで貯めた金で本当にスチュアーデスになったのか、単に制服を着ているだけなのかはわからない。いずれにしても、「いまーここ」からかけ離れた「いつかーどこか」への憧れを明るく描いていて後味がよい。ひとつの曲のなかの、ここではカリフォルニアという地名がぽとりと人、つまりフェイの心に落ち、人の頭から離れない。ある意味でその時間を香港の具体的細部が幸福に包み込んでいる。この作品のもうひとつの筋、ブリジット・リンと金城武のストーリーも常軌を逸している。麻薬の密輸をはかるリンは、インド人たちを使いその準備を着々と進めるが、空港で麻薬を持ち逃げされ怒り心頭に発する。かれらのとりまとめ役の居所を突き止め、射殺し、間一髪逃走する。その途上、金髪の鬘（かつら）、つまりかの女を日常的ならざる存在に仕立て上げていた小道具を路上に捨て去る。その後、リンが観客の前に姿を現すことはない。そもそもリンは鬘とサングラスと季節に合わぬレインコートという変装した姿で登場した。われわれはついに本当のリンを見ることができずに終わる。ふつう観客は演技する俳優を見る。リンはさらに変装をすることで、作品中でもうひとつの演技をする。現実のリンから二重に隔てられた存在となる。われわれはスクリーンで実在の影のまた影を、抽象のまた抽象を見る。リンはサングラスと金髪の鬘という仮面を脱ぎ日常に戻った。そしてどこかに消えた。

　リンは仮面を被っている。これも仮面の系譜に属するのであろう。顔に網の目のベールを被せる。脚をストッキングで覆う。こうして生身の肉体が幾らかでも抽象化される。マン・レイの作品「ベールを被ったキキ」も網でおおわれた抽象的身体だ。

　仮面の話題はアンドロイドやヒューマノイドの話にまでいたる。いま、思い出したいのは、『ブレードランナー』（一九八二）の第一作だ。ハリソン・フォード（一九四二―）扮するブレードランナーがレプリカント（アンドロイド）を探し出す識別テストで拡大鏡を使い、相手の目を見て質問をする。

相手は人間の仮面を被る。それでもショーン・ヤング扮するレイチェルのように最初は表情の硬いレプリカントもいる。こちらはこちらで仮面を被っているようだ。しかしハリソン・フォードとの交流が進むにつれ、表情が和らぐという演技に変わってゆく。

『天使の涙』（一九九五）はDVDのジャケットにもなっているカレン・モク（一九七〇―）や仕事の指示を出すミシェル・リー（一九七〇―）の大胆な演技で、男性主人公レオン・ライの演技はその仕事の危うさとは裏腹に端正に過ぎるかに見える。カレン[1]は金髪という仮面を被り、ミニスカートという衣装を着けて登場する。どちらもカレンから切り離しがたい。ミシェルも網のストッキングを身に着けている。本書の文脈で言えば脚の抽象化だ。マン・レイや森山大道の網のストッキングにもつながる。

金城武の動きは『初恋』（一九九七）でも目が離せない。夜間清掃員を演じる金城は夢遊病の少女リー・ウェイウェイの夜の彷徨に同行しはじめる。少女は朝になって自分の家に戻るが、夜間、どこに行っても自分の行った先をおぼえていないという設定だ。そこで少女は自分の身体にヴィデオカメラをくくりつけ、家に返ってから夜間何をしていたかを知ろうとする。しばらくして少女の夢遊病が癒え、今度は不眠症に悩まされる。夢遊病のままと勘違いした金城はウェイウェイと食事をする。ウェイウェイが、金城の様子をうかがいながら薄目を開ける。と、観客は現実に引き戻され、この作品の監督と称する男がナレーションを入れ、この場面が一番よく撮れたと作品の枠の外部からことばをはさむ。メタ映画のようなからくりを観客にさらす。ということは監督は作品からひとつ上の抽象的な場にいるはずだが、そのようなことを意識している風でもなく、ましてメタ映画の抽象性の美学に酔っている風でもない。ただ、慌ただしく、がさつなだけとも見えかねない。『初恋』の後半にはあのカレン・モクが登場する。『天使の涙』を観ている者は、カレン・モクが、十年前に自分を捨てた元恋人で今は別の女性との家庭のある男の消息を偶然知る女を演じることを知り、ただ事ではすまないと直感する。『天使の涙』のカレン・モクの爆発よりもさらに大きな爆発が起こるであろうと、身構える。カレン・モクはじわじわ真綿で首をしめるように男を追いつめる。ところが男の剽軽な対応に、抜いた刀のおさめどころが見つからないという状態に追い込まれる。女の十年の恨みという抽象化された感情が、男の今の生活という具体の前に敗北する。

『花様年華』のメタフィクション性、メタフィルム性

DVDに付された各俳優の役どころを説明するカードのことばから『花様年華』に入る。「新たな愛を生み出す作家」を演じるトニー・レオン、作品の主人公で、ここに至ってジャーナリストから作家へと変身している。「かつての愛を呼び覚ます女」を演じるコン・リー。一挙手一投足に貫禄が出る。強烈な印象を与える作中人物たちが「01.プロローグ」、「02.シンガポールの別れ」、「03.日本人との恋」、「04.SF小説『2046』」、「05.2046号室の女」、「06.イヴの飲み友達」、「07.賭け

の代償」、「08.最後の１０ドル札」、「09.日本からの手紙」、「10.ミステリー・トレイン」、「11.ぬくもりのない夜」、「12.『２０４７』の結末」、「13.２人のスー・リーチェン」、「14.バイ・リンとの別れ」、「15.エピローグ」という章題のもと、作品中を静かに動き回る。

『花様年華』からウォン・カーウァイに入った者は、かつての『いますぐ抱きしめたい』や後続の『２０４６』を観てとまどうことであろう。『いますぐ抱きしめたい』が具体的かつ即物的に過ぎ、『２０４６』が抽象的に過ぎるのに、『花様年華』では、具体と抽象の美的バランスが達成されているからだ。たとえば具体とは、香港のアパートに別々の男と女が引っ越してくる際のドタバタとした荷物搬入の光景。女性主人公マギー・チャンが貿易会社秘書の仕事から戻り、夜、ポットをもって持ち帰りの中華料理を買い、部屋でそれをほおばる姿。日本製の電気窯が手に入り、大家や近所の女性たちと炊き上がり具合に驚嘆する光景。これらはみな地に足のついた女性の日常だ。夫は海外で働いている。ところがマギー・チャンの着るチャイナ・ドレスはどうであろうか。仕事着といえば仕事着。しかし闇夜に浮かぶ姿、雨の中の姿となっては、具体的なものが削ぎ落され、歩く精神性とでも言える立ち姿だ。『いますぐ抱きしめたい』の港付近を歩く同じマギー・チャンの姿と比べると、精神性という表現が大げさではないことがわかるだろう。

他方、同じ日に引っ越してきたトニー・レオン演じる男性のほうはどうであろうか。新聞社で働いている。妻は海外で働いている。記者をしながら実のところ小説を書きたい。しかし、どこの国でも事情は厳しく、小説を書きたいと言って小説を書き生活が成り立つはずもない。

やがて二人は隣人として話をするようになる。食事をする。その話の節々から互いの夫と妻に関係があると確信するようになる。そう考えるようになってから、二人の関係はいっそうぎこちなくなる。互いに惹かれつつも進めない状況。男はホテルに部屋を借りる。部屋の番号は２０４６。香港の完全返還の年と同じ。ホテルは男の仕事場だ。生活の現実、仕事の現実から離れ、もうひとつの本当にしたい仕事、小説を書くために借りた部屋だ。廊下には赤いカーテン。そこに女が訪れる。女は男の小説の構想づくりをそこで手伝う。赤いコートを着て２０４６を訪れる。２０４６は男と女が抽象的な時間を過ごす場であった。

『花様年華』は美しいシーンにあふれている。タクシーの後部座席の二人。中華料理を器に入れ階段を上るマギー・チャン。ペンを握り、記事を書かず小説を書く、本当は小説家になりたかった男トニー・レオン。二人によって演じられる抽象的な愛。恋愛小説のアイデアをときに演じてみる二人。数々のチャイナ・ドレスがマギー・チャンを包む。マギー・チャンの肉体という具体が、着用されるチャイナ・ドレス次第で別の具体としてスクリーン上に現出する。

『愛の神、エロス　～エロスの純愛・若き仕立屋の恋～』（二〇〇四）の場合は、少し違ってくる。仕立屋は自らコン・リーの依頼を受け、または時に積極的に自分からチャイナ・ドレスを作る。しかし、仕事場でチャイナ・ドレスを作る仕立屋はそれを着用する女性の具体に触れることができない。冒頭では、コン・リーのことばのみが聴こえてくる。顔は見えない。ことばが先行し、肉体は背後にあるままだ。ラジオがテレビよりも抽象度が高いことを思い起こさせる。

『マイ・ブルーベリー・ナイツ』（二〇〇七）は初めからハッピー・エンドに終わりそうな雰囲気を漂わせた作品だが、そこに至るまでにロード・ムービー風のからくりが用意されている。酒やパイを出す店をニューヨークで営むジュード・ロウ（一九七二―）のところに、男に振られたというノラ・ジョーンズが入ってくる。焼け酒を飲んだうえに、振った男が立ち寄ったら返してくれと部屋の鍵を預ける。ここで『恋する惑星』を観たものは笑う。フェイ・ウオンが自分に預けられた鍵を利用して警察官トニー・レオンの部屋に入るというストーリーを思い出すからだ。鍵が鍵という筋立ては監督の気に入りらしい。ジュード・ロウは鍵を預かる。それはひとつめではなく、いくつもの鍵がすでに預けられていた。そのひとつひとつが物語を持っていた。鍵をキーとして物語を語る。ノラ・ジョーンズは癒される。やがてカウンターで寝入る。ブルーベリー・パイにのったクリームが唇に付いている。女の顔を男の影がおおう。男が何をしたかは、結末ではっきりする。さて女は旅に出る。メンフィス、ネヴァダとバスで移動してはウエイトレスをして車を買う資金を貯める。

どの地域にも映画の最盛期というものがある。わかりやすいところで日本映画から始めると黒澤明（一九一〇―一九九八）の時代。『七人の侍』（一九五四）や『椿三十郎』（一九六二）がアメリカ映画などに与えた影響は大きい。小津安二郎[2]（一九〇三―一九六三）の作品群もまたしかり。加えて成瀬巳喜男（一九〇五―一九六九）の作品にカズオ・イシグロは深い影響をうけた。

ハリウッド映画の最盛期というのは観る世代によって、さらに人によって大きく異なる。フランスもしかり。アジアのインド映画ではサタジット・レイ（一九二一―一九九二）にひとつの山があり、『ムトゥ 踊るマハラジャ』（一九九五）にまた山がある。韓国映画は『殺人の追憶』（二〇〇三）が出たあたり。日本映画はこの時期、海外のこうした秀作と競わなければならなかった。そして香港映画。ことウォン・カーウァイに限っていえば、一九九七年という大きな境目を背景に、その前後の時期にかれのエネルギーの大半が注がれたという印象を与える。著者が訪れた二〇〇一年と二〇〇二年、香港はまだカーウァイの世界を充分に残していた。重慶飯店の前には毎日のようにパトカーがとまり、九龍と香港島を結ぶフェリーにもその海の下をくぐる地下鉄にもひとびとの異様な熱気が感じられる。

文学史のなかのメタフィクション

映画には脚本がある。監督がいる。監督はこぞって、われこそはと映画を撮っている、映像にこだわっている、物語も重要だがそれなら小説がある、映像こそ映画を映画たらしめるもの、と主張するかのようだ。もっともカーウァイ監督はしばしば脚本抜き、場合によっては脚本なしで撮ったという。ふつうは脚本があり、監督がいて、撮影者がいて、俳優が演じ、編集を経て、作品となる。

つまり現実からは幾重にも隔たったものが作品としてできあがる。そこに男と女の創作行為が描き込まれる。いわば書くという行為、創作行為が劇中劇として挿入されているということになる。『花様年華』は劇中劇映画ということになる。映画のメタフィクション、メタフィルム。これは『２０４６』につながる。

作品のメタフィクション、劇中劇に触れた。このからくりの歴史は長い。書いている作家が自分は作品を書いていると、作品中で吐露してしまう。十八世紀イギリス、つまり小説の発生の歴史の冒頭でもう、作家は自分が書いているということを意識している、そのことを作品中に書き込んでしまっていた。

二十世紀、アメリカの作家たちにいたっては遠慮がない。たとえば、ジョン・バース（一九三〇―）。どうせ小説はつくりものであることがわかっているのだから、そこをいまさら隠してもしょうがないとでも言いたげに、話を進める。

劇中劇も古い。『千夜一夜物語』しかり。ジェフリー・チョーサー（一三四三―一四〇〇）の『カンタベリー物語』（十四世紀）しかり。旅籠の主の巧妙な機転により、雨で足止めを余儀なくされたカンタベリー巡礼の客たちは、それぞれが物語を語ることになる。シェイクスピアの『ハムレット』（一六〇〇）しかり。父の死の真相を知ろうとハムレットは、母および父の弟を前に、文字通り芝居を仕組む。

よほどおもしろい手法と見えたか、技巧とは一見ほど遠いジェイン・オースティンも『マンスフィールド・パーク』（一八一四）のなかで、厳しい家長が海外出張中、若者たちが芝居の稽古をするというエピソードを作品に盛り込んでいる。ドストエフスキーの『カラマーゾフの兄弟』（一八八〇）の「大審問官」しかり。イタロ・カルヴィーノ（一九二三―一九八五）の『冬の夜ひとりの旅人が』（一九七九）しかり。作者は最初からこれがメタフィクションであることを断ってはばからないかのような語り口だ。ウォン・カーウァイ監督が影響を受けたというマニュエル・プイグ（一九三二―一九九〇）の『蜘蛛女のキス』（アルゼンチン、一九七六）もモリーナが次々と自分の観た映画を語るという点で、メタフィクション性が重要な役割を担っていると言える。

作家は書くことがなくなると、書くことそのものについて書くという傾向がある。いや、そこまで言わずとも、書くことについて常に意識しているので、つい書くことについて書いてしまうといったほうが穏当であろう。V・S・ナイポールなどは四六時中書くことについて悩んでいたのでつい書くことについての考察を作品中に入れてしまう。そういう考察を重んじる読者は、『中心の発見』（一九八四）や『読むことと書くこと』（二〇〇〇）といったエッセーを好む。書くことについては読みたくないという読者は『ビスワス氏の家』（一九六一）や『暗い河』（一九七九）を好む。

世界文学の書き手と呼べる作家でもカズオ・イシグロとなると少し話は違ってくる。イシグロは作品と書くことについての考察をナイポールよりも分離して考える。書くことについての考察を、ひらめきの瞬間というかたちでノーベル賞受賞記念講演にまとめてしまう。だから『日の名残り』のスティーヴンスも、あのときああしておけばよかったと悩むものの、書くことについて悩むことはない。ただ、主人の話し相手として卒ない反応ができるよう、読書に励むことはする。

ナイポールにはもうひとつ、メタフィクション的な出方をする書きぶりがあった。それは後期の作品『世の習い』（一九九四）のなかで著しい。ここでナイポールは、自分がそれまでに書いた作品の要約のようなことをする。

以上の流れを踏まえると、『花様年華』のメタフィクション性はもちろんのこと、それに続く『２０４６』のからくりも、あながちカーウァイ監督のこだわりとばかりは言えなくなる。文学史そのものがメタ性にこだわってきたのだから。

第六章 脚注

1 **カレン** 写真集『Ａｎｇｅｌ Ｔａｌｋ―〝天使の涙〟完全版』（プレノンアッシュ、一九九八）の著者クリストファー・ドイル（一九五二―）のように「人形」のようだと形容する人もいる。写真集はカレン・モクとミシェル・リーが地下道ですれ違う場面、金城武が豚の身体にまたがる場面など、生々しい写真が続く。

2 **小津安二郎** しかし小津が十代の大半を三重県松阪で生活したことはあまり知られていない。休日ともなると松阪から名古屋まで出かけ、そこで洋画を観ては通学の列車の中で友人や後輩に映画の内容を語ったという。松阪市内にある小津安二郎青春館には、そうしたエピソードを説明するパネルや映像がある。低い位置から撮る小津の手法の起源が学校帰りの土手に寝ころんで周りを眺めていたからだという話まである。

第七章　書くことの自意識

作家・詩人・哲学者の映画から

レールを運搬する列車

作家が作品世界をつくる。詩人が世界観を提示する。哲学者が世界を解説する。ふつうこういう時、作家、詩人、哲学者たちそのものは、かれらの思考の対象に入ってこない。しかし作家についての映画、詩人についての映画、哲学者についての映画となると話しは違う。それはメタ・フィルムに類するもの、映画についての映画に似てくる。およそメタ・フィルムにしても、小説についての小説であるメタ・フィクションにしても、外の風景を眺めていて、目に見えてくるものではないところがである。客を乗せない列車、貨物を載せない列車に、メタ・フィルムやメタ・フィクションのメタファー性を読みとるという興味深い経験を二度ばかりした。ひとつは〝ドクター・イエロー〟に関するもの。ドクター・イエローは客を乗せない。客を乗せる新幹線車両を安全に運行するためのレールなどをチェックする。乗客から見れば自分の乗っている車両の一段上のところを走っているので、メタ列車のような形になる。新幹線の安全運行を確保する「新幹線についての列車」とすら見える。

もうひとつはさらに一般の乗客が目にしにくい列車。鉄道のレールを運搬する列車だ。コンテナでも貨物

レールを運ぶ列車（撮影：長澤一徳）

でもない。鉄道自らの生命を維持するかのようにレール運搬を担う列車。上に掲げる列車は富士山を背景に富士川にかかる鉄橋を渡る、レールの運搬列車。見ているうちに鉄道の増殖と減少という未来的状況が浮かんでくる。レールの劣化が中央管理され、レール運搬列車が送り込まれる。現在レールの交換は人力を伴うが、この写真を見ると、あたかも未来に人の姿の見えぬレール交換風景が現出しそうにすら見えてくる。

実在の作家の架空、架空の作家の実在

『アガサ　愛の失踪事件』（イギリス・アメリカ、一九七九）はシャーロック・ホームズと並んで世界中にファンのいる推理小説作家アガサ・クリスティーの謎の失踪の理由を推理するという、推理ファン対象の気の効いた作品だ。観客には推理小説作家そのものの生活の一部を推理させようというわけだ。クリスティーとは二番目の夫のラストネーム、ということは前夫がいた。ところがかれに愛人ができ、その事実を知ったアガサは姿をくらまし、その間にある画策をする。そのからくりは大掛かりで電気仕掛け。夫の愛人がドアを開けるとスイッチが入り、ドアの内側にいるアガサが座る椅子に電気が流れる仕組みだった。アガサの計画通りに運べば、夫の愛人が妻であるアガサの命を瞬時に絶つことになり、あとには夫と愛人にトラウマとスキャンダルが残ることになる。小説家アガサが作り物としての小説のなかで電気椅子をつくるとか、または夫と愛人をモデルに作品を仕上げるというのではなく、小説の世界から現実の世界に舞い戻り、そこでまことに小説的な復讐を遂げようとするところ、小説と現実の壁を取り去ってしまったところに、真の復讐心、ある意味で夫への執着心すら垣間見える。

このようなフィクションのフィクション、メタフィクションを扱う映画や小説をこの章ではとりあげていく。

アガサ・クリスティーの活躍していた時代から百年近く立った二十一世紀でも、作家はそのおかれた現実世界で、つまり自分の作品の外の世界で知性と理性を絞っていた。たとえば『スルース』（アメリカ、二〇〇七）がある。ただしこちらは実在の作家ではなく架空の作家。犯罪小説で名声を得、財をなしたアンドルー・ワイク（役：マイケル・ケイン）とその妻の愛人マイロ・ティンドル（役：ジュード・ロウ）が知恵競べをする。

ワイクはある日、ロンドンで妻と同棲中のマイロに話があると言って自宅に呼び寄せる。作品は全編ほぼこの二人の登場人物の緊迫した会話で終始する。ワイクはマイロをことばたくみに痛ぶり、マイロもことばで応戦する。やがてワイクは拳銃を三発発射し、マイロは気絶する。観ているほうにはそう取れる。ワイクが静かに自作の小説の映画版を観ていると、訪問者が来る。ロンドンから来た刑事で、行方不明のマイロを探しているという。刑事は頭からワイクを疑い、次々とワイクの言い訳の矛盾をつく。マイロ殺害の証拠として血のついた衣服まで見つけてしまう。ワイクはマイロとゲームをしていたのだ、心理戦を演じていたのだと言っても、刑事はとりあわない。と、ワイクがほとんどパニックに陥ったところで、刑事は眼鏡、鬘、その他の顔の付着物をとり、素顔をさらす。マイロは刑事に変装し、ワイクを精神的に追いつめ、先のワイクの脅しに対する復讐をおこなった。ということはワイクの拳銃の、壁にあたった銃弾のあとの三発目は空砲だったということになる。空砲に怯え、われを失ったマイロはおなじように精神的にワイクを追いつめてみようと画策したことになる。

ふつう、実在の作家の生活、伝記を映画にする場合、その作家の作品の内容に深く立ち入ることは困難な場合が多い。『アガサ 愛の失踪事件』はアガサの行動をテーマとするのであって、アガサの書いた作品の詳細に立ち入るものではない。ところが『スルース』は架空の作家の映画でありながら、かれの内面、ことば、論理、その他がすべて盛り込まれている。それによって作家はこのようなことを考えるのであろうと観るものは納得する。人が思いも寄らぬような神経戦を考え出す。作家だからと納得する。刑事が正体をあきらかにするところでは終わらず、さらに奥の奥が続く。

脚本、監督の名を知れば『スルース』が複雑なのも頷ける。監督ケネス・ブラナーはシェイクスピア劇を演じたり、かつての妻でカズオ・イシグロの『日の名残り』にも出たエマ・トンプソンと共演したりと、日本でもその名はよく知られている。ブラナー出演作品で著者の印象にもっとも残るのは、かれがドイツのSS隊員に扮した『ヴァンゼー会議』[1]（二〇〇二）だ。

具体の死と抽象の生

『第三の男』（イギリス、一九四四）はギターの演奏やオーソン・ウェルズの顔ばかりが記憶に残るが、筋立てはきっちりしている。西部劇風の小説作家ホリー・マーティンスが友人ハリー・ライムに仕事があるとウィーンに呼び出される。だが着くとハリーは亡くなったばかりで葬式が行われる。生前のハリーを知ろうと動いてみるが、調べるほどに、謎は深まる。結末はこれもよく知られたウィーンの下水道の場面。第一の人物クルツ男爵という名も思わせぶりだし、第二の人物ポペスコは堂々とホリーを脅す。第三の人物がだれかという話だ。ハリーの愛人アンナ・シュミットも重要な役を演じる。今から見れば古風なつくりの映画だが、アンジェイ・ワイダ（一九二六―二〇一六）の『地下水道』（一九五六）ばかりでなく、過去の英文学への、そして現代の英語圏文学への連想につながるという点で重要だ。

過去とはディケンズの『バーナビー・ラッジ』（一八四一）という作品。これは連載が始まったとたんに海の向こうにいたエドガー・アラン・ポーが謎を解き明かしたというエピソードで知られる作品だ。

現代とはカズオ・イシグロの『充たされざる者』。とあるヨーロッパの都市にピアニストが到着し謎に包まれるが、その状況と『第三の男』のホリーの状況がときおり重なるかにみえる。とくにホリーがウィーンの文化部の人物から講演を依頼され、壇上にたって月並みな文学論をぶち、「意識の流れ」についてどう思うか、ジェイムズ・ジョイスについてどう思うかと聴かれ、答えに窮し、しまいに聴衆がみな帰ってしまうところなど、『充たされざる者』のライダーのこれまた月並みな音楽論に通じるように見えてしまう。さらに言えば、両作品とも芸術の意味、無意味という大問題に行き着く。

同じグレアム・グリーン原作の映画『ことの終わり』（イギリス・アメリカ、一九九九、原作『情事の終わり』一九五一）はメタフィクションとしての色彩が濃い。主人公ベンドリックスは小説家という設定で、日々、パソコンならぬタイプライターに向かっている。小説家なので勤務時間というものが自由。ヘンリーという官僚の妻と交際を始める。双方本気で互いが互いに翻弄される。ベンドリックスは相手にのめり込めばのめり込むほど嫉妬深くなり、相手のストッキングや靴にまでも嫉妬する。第二次大戦中のロンドンでのことだ。ところがある日の逢瀬の一件を境に女は男と逢おうとしなくなる。別の男性ができたのかとベンドリックスは探偵に調査を依頼する。探偵が調べても、報告に出てくるのは自分自身と逢っていたという事実ばかり。ある日の一件とは、ロンドンが空爆を受け、二人のいたところに爆風がおよび、男が気絶した事件を指す。女はしばらく男をゆすり、やがて男が死んだものと思い込む。しばらくして男が意識を取り戻し、部屋に戻ると女はベッドに跪き、何かに祈っているかに見えた。女は男が死んだものと思い、ある誓いをたてた。男が生き返ったら二度と男と逢わない、だから男をよみがえらせてほしいと祈っていたのだ。日々の逢瀬という具体、肉体という具体の世界に、ここに神という抽象が入ってくる。神の存在云々の議論ではなく、消去法のようにして神が登場する。あれもだめ、これもだめ、人の力ではだめというときに、最後に神が登場する。

配偶者の具体と抽象

映画『ジェイン・オースティン　秘められた恋』（イギリス、二〇〇七）は他のジェイン・オースティン作品の映画とは若干印象が異なる。アン・ハサウェイがジェイン・オースティン役を演じているため、なんとなく『プラダを着た悪魔』（二〇〇三）を連想してしまうのがひとつ、駆け落ちにジェインが一時は同意し、馬車に乗り込むので、オースティン世界への先入観にありがちな静的イメージに代わって動的イメージが大きく前面に出ている点がもうひとつだ。さらにジェインが『ユードルフォの怪奇』（一七九四）の著者ミセス・ラドクリフ（アン・ラドクリフ、一七六四―一八二三）にロンドンで会うという場面など、文学ファンにはおもしろい。そのミセス・ラドクリフに、知性を持つ妻を持つことは男性にとって恥ずかしいことと考える風潮がある、と言わせている場面でジェインが聴き入るところもうまくできている。

映画『ミス・ポター』（アメリカ・イギリス、二〇〇六）のビアトリクス・ポター（一八六六―一九四三）は〝ピーターラビット〟で知られる絵本作家だ。銀行家の娘に生まれ、イギリス中産階級の女性として何不自由なく育ち、動物の絵を描いては想像力をふくらませる。やがて出版社の編集者に惹かれるが父の反対で先にはすすまない。他方、作品のほうはよく売れて印税でひと財産築く。もとより自然を愛するポターは湖水地方を訪れ、そこで森林の管理をしている人物と知り合う。やがて土地を購入し、収入あるごとに土地を広げ、自然保護に精を出す。そして管理をする人物と結婚する。編集者との別れなど人並みの不幸には見舞われるものの、ポターの人生はどのステージもほとんど明るいままだ。作家ならずとも人の伝記に影や暗部があることは珍しいことではないが、ポターの生涯は観るものを安心させる。父親や夫にまもられていたとはいえ、まだ個人の才能と努力が比較的真っ直ぐに実を結ぶ時代の穏やかな作品だ、

映画『ノーラ・ジョイス 或る小説家の妻』（ドイツ・アイルランド・イタリア、二〇〇〇）の妻とはアイルランド出身の作家ジェイムズ・ジョイスの妻ノラを指す。時は一九〇四年から一九一四年までの十年間。日露戦争から第一次世界大戦のころだ。ジョイスとノラがダブリンを出て、トリエステに定住し、ふたりの子どもが生まれる。ジョイスは『ダブリン市民』（一九一四）の出版を実現しようとするが、簡単にはいかない。そもそも二人の関係にあって、ジョイスは内向的、臆病、ノラは大胆で怖いもの知らずのところがあった。ジョイスはノラが別の男性と話をするだけでも嫉妬するという神経過敏ぶりを見せ、観ている方は、息苦しくなってくる。ノラはジョイスの作品に描かれた自分が、本当の自分とは異なると不満を言う。画家とモデルの関係で生ずるような問題だ。結局、『ダブリン市民』が出て、ジョイスは『若き芸術家の肖像』（一九一六）や大作『ユリシーズ』（一九二二）や『フィネガンズウェイク』（一九三九）の創作に向かうことになる。現在の文学史ではジョイスは「意識の流れ」を作品化した人物としてヴァージニア・ウルフと並び称されるが、その修行の過程は著

しく異なる。ウルフが一時リッチモンドに移るものの人生の殆どをロンドンで過ごしたのに対し、ジョイスはヨーロッパを語学教師として経巡った。ウルフの作品に夫レナードの影はそう濃くはないが、ジョイスの作品にはノラが色濃く影を落としている。ノラには抽象的思考にあれこれ悩まない。即物的な日々があるのみだ。

自省的作品の抽象

作家ははじめのうち書くことを意識して作品を書く。そのうち書くことすら意識していないような勢いのよい作品を書く。やがてまた書くことに自省的な作品を書く。はじめと最後は抽象の領域に足を踏み入れているということになる。

ナイポールに即して言えば、『ミゲル・ストリート』（一九五九）には書くことへの自意識がここかしこに見られる。「ブラック・ワーズワース」などがその典型だ。しかし、作品を発表しつづけるうちに『ビスワス氏の家』のように、書くことを意識している閑もないほどに勢いのよい作品を産み出すようになる。そしてある程度の量の作品を発表したあと、また自省的になる。一歩退いて、高みから抽象的に自作を見てみたくなる。『中心の発見』というエッセー、『世のならい』という小説らしからぬ小説、『読むことと書くこと』というエッセーなどがそれにあたる。

同じことをカズオ・イシグロに当てはめて見ると『充たされざる者』の作品年譜上の絶妙な位置

に気づかされる。遠ざかる日本の姿、自分のなかのやや抽象的な日本の姿を残したい、そこで『遠い山なみの光』や『浮世の画家』を書くという行為に対する過剰な意識を交えずに書き上げる。『日の名残り』にも書くことへの過剰な意識はあまりない。ところが、この作品のブッカー賞受賞により生活の安定を確保できたイシグロは次の作品『充たされざる者』で小説、果ては芸術の意味について問い、自分の割り切れなさ、充たされなさを巧妙に作品化した。

書くことの強迫と作家の隠遁

映画『プロビデンス』（フランス、一九七七）。アラン・レネ監督。アーサー・ギールグッド演じるクライブ・ランガムという老小説家がプロビデンスという名の自宅に家族を招く。クライブの頭のなかでは目のまえの家族のいる現実世界とかれの構想する小説世界の作中人物が交錯し、観ているほうには作品のかなりの段階まで全体が見えない。しかし次第に状況が明らかになり、高度に洗練されたメタフィルムのなかにメタフィクションが入り込んでいると納得する。

『小説家を見つけたら』（アメリカ、二〇〇〇）も映画の中に小説が入り込んでいる。ニューヨーク、ブロンクスのバスケット・ボールと本を読むことに夢中な十六歳の少年ジャメルは、友人にそそのかされて広場を見渡すマンションの一室からいつも望遠鏡で外を眺めている男の部屋に侵入する。作家フォレスターとジャメルの出逢いのきっかけだ。見つかって慌てて逃げ、あとでバックパックを忘れてきたころに気づく。なかには自分の創作をしたためた数冊のノートが入っていた。再び侵入するわけにも行かず、気落ちしていると、マンションの前を通った時、上からバックパックが落ちて来る。なかを確かめると、ジャマルの創作のひとつひとつに赤い文字でコメントが書かれていた。男はどうやら作家らしく、一九三〇年にスコットランドに生まれ、若い頃に一冊だけ発表し、評判となったものの、その後、姿を消した作家ウオレス・フォレスターとわかる。

ジャマルはブロンクスの公立高校からバスケット・ボールと文章力を評価されて、授業料免除という条件でニューヨーク、マンハッタンの私立高校への転校を勧められる。マンハッタンの高校に移ったジャマルはそこで、偶然にも作家フォレスターがなぜ一作を残しただけで隠遁の道をえらんだかという課題に接し、これに応募する決心をする。同時にフォレスターの部屋に出入りし、文章教育を押し掛け弟子のようなかたちで受ける。フォレスターはジャマルをタイプライターの前に座らせ、書け、ただ書け、考えるなと助言する。

ジャメルには始末の悪い相手ができる。教師のロバート・クロフォードで、高校で書き方の指導をしているが本人自身も作家志望だった。フォレスターによるとクロフォードは若いころ作家を志し、フォレスターを含む四人の作家を取り上げ批評を試みたという。それを知ったフォレスターは第二作を書いているので、クロフォードの出版を却下するように各出版社に働きかけた。クロフォードの本は出ず、教職に転ずる。フォレスター曰く、挫折した教師は有能な教師になるか危険な教師になるという。クロフォードはジャメルにとって危険な教師となった。

ジャメルはフォレスターが一作で筆を折った理由を本人の口から聞く。作家にとって至福の瞬間は作品を書き終え、最初にそれを読む時であるという。その後、出版され、批評される。批評家がとうてい書けないような作品が一日でずたずたにされてしまう。それからは書いても公表する気が失せたという。さらにフォレスターは兄の臨終に際し、病院の看護師に、あなたの作品を読みました、すばらしいです、と言われ、そうした状況でそう言われてしまう自分の存在のアイロニーにやりきれない思いを抱いた経験がある。フォレスターは五ヶ月のうちに兄、母、父の三人を亡くした。『小説家を見つけたら』には小説をとりまく諸問題がいくつももりこまれている。創作は教えられるか、挫折した教師は有能か危険かというフォレスターの説は一理あるか、批評家嫌さに出版を控える作家がいるか、人がおそれるものは自分に理解できないものだというフォレスターの説は有効か、多作な作家と寡作な作家の違いはどこにあるか、といった問いだ。結末では、これらの諸問題は作品のなかでも解決がつくといったこたえが用意されている。そして監督は『グッド・ウィル・ハンティング／旅立ち』（アメリカ、一九九七）のガス・ヴァン・サントであることに思い至る。

同じような作家の隠遁、その作家に会いたい若者を主人公にした作品に『ライ麦畑をさがして』（アメリカ、二〇〇一）がある。ここではせっかく作家の住居にたどりついたものの、雪のなか作家が家から出て犬の散歩に出かける後ろ姿を見て、急に主人公の探究心がなえ、またプライバシーの侵害にも気づいて、大人になるというところで作品は終わる。探究の旅そのものがテーマという作品だ。『小説家を見つけたら』はその先の探究、つまり表舞台から姿を消すに至る動機の探究がテーマだ。

　十九世紀の作家たち、二十世紀の作家たちの多くが次々と作品を書かねばという強迫観念にかられていたなか、なぜ書かなくなったかという疑問は人の関心をそそる。修善寺で生死のふちをさまよった漱石も、そこで筆を絶たず、さらに後半の秀作を矢継ぎ早に書いた。ナイポールもノーベル文学賞受賞後、『魔法の種』や『アフリカの仮面』を出した。イシグロもプロモーションに追われるとこぼしながらも、新作に挑戦してきた。ところがサリンジャーは、架空の作家フォレスターは、となるわけだ。

代わりに隠された真実を書くという危険

『ダイアナ妃の小説家』（イギリス、二〇〇二）の主人公アンドリュー・モートンは、映画冒頭、マリリン・モンローの伝記を書くため、イギリスからアメリカに渡り、取材をしようとしている。と、出発の直前、以前に書いていたダイアナ妃に関するスクープを読んだ人物からある人物を介して連絡が入る。ダイアナ妃本人が自分の生活の真実を書いてほしいと考えているとの話だ。モートンは信じがたいと訝しがった。馴染みの出版社の社長も、送られてきたダイアナ妃の肉声テープを女優のものまねと取り合わない。しかし、そこからモートンと仲介者の関係が始まり、送られて来る複数のテープをもとにモートンは原稿を起こす。何を書いているかは妻にも秘密にし、出版社の社長とは会社の外で秘密裏に面会する。会社にはギタリスト、エリック・クラプトンの伝記を書いていることにしてある。自分の仕事場を荒らされテープを家捜しされるなど、出版を阻止しようという一団との駆け引きが続く。

送られてくるテープが本物か偽物かにつきモートンが社長に述べる判断材料が説得力のあるものだ。本の完成までの日程があまりに短く、競争相手の出版社の罠にしては出版の事情にテープの声の主も仲介の男も明るくない。だから本物だという。やがて、著作権その他の問題をクリアし、ダイアナ妃の友人の証言を得るなどして、モートンは『ダイアナ妃の真実』を書き上げる。

『ダイアナ妃の小説家』や『ゴーストライター』（フランス・ドイツ・イギリス、二〇一〇）の書き手は命の危険に身をさらす。どちらも表に出てはまずい情報を含むこともあるので、それを阻もうとする勢力から狙われる。警告を受けたり、事務所を荒らされたりと脅しもエスカレートする。危険も仕事の一部になりかねない。ニコル・キッドマン主演の『ザ・インタープリター』（アメリカ、二〇〇五）も、通訳という仕事柄、機密に触れる場合が多い。それが陰謀や汚職に関わる場合は、知ってしまったために命をねらわれる。これらの映画を続けて観ると、書き手というものがいかに多様であるかが分かる。小説家がいる。詩人がいる。伝記作家がいる。そしてゴーストライターがいる。作品の語り手、話し手も多様ということで、「信頼できる語り手」からカズオ・イシグロの「信頼できない語り手」ばかりではない。信頼できそうでできない語り手やら、信頼できなさそうで信頼できる語り手もいるから、よく観察していないと分からなくなる。

映画『ティファニーで朝食を』（一九六一）の主演女優オードリー・ヘップバーンの名演技もあって洒落た印象を残すこの作品の原作小説を書いたトルーマン・カポーティ（一九二四―一九八四）には、一方で『冷血』（一九六五）という息苦しいノンフィクション小説がある。複数の人の死、さらにその死をもたらした獄中の死刑囚の死を描いている。同名の映画（アメリカ、一六六七）では、作家が殺人犯と獄中で面会し、その心に入り込み、それを淡々と冷静に描く。書く人物が死の危険に身をさらすのではなく、死刑囚の死を冷徹に描くことによって作品をつくりあげていく。死刑の執行にも立ち会う。この作品を書き上げたあと、カポーティの筆力は落ちていった。ほどなくして他界した。

リアリズムのルールと創造の秘密

『ルビー・スパークス』（アメリカ、二〇一二）の主人公カルヴィンは天才作家と評判になったが、スランプに陥る。そこで自分の理想的な女性を作中人物に立て新作を試みる。ある日突然、自分がつくったルビーという女性がかれの家に住み始める。カルヴィンは自分の幻覚かと友人や兄にルビーが見えるかと問うと、たしかにいるという。兄にだけ真実を伝え、しばらくは理想の女性ルビーと生活するが、やがて自分の文章ひとつでそのとおりに行動するルビーに、自分も疑問を感じ、ルビーを解き放ちたいという気になる。そこでタイプ原稿にルビーは自由だと書き、ふたたび一人になる。この経験を捨象し、今度はタイプライターではなくノートパソコンで書き始め、『ガールフレンド』という本を出す。出版記念会でカルヴィンはサリンジャーに言及したりと、映画制作者たちは書くという行為そのものに関する諸問題をこのシーンに盛り込む。ここまではありえない話、からくり倒れと見えなくもないが、最後にひとりになったカルヴィンが愛犬スコッティーと公園を散歩していると、カルヴィンの本を読んでいる女性に出会うというところは、うまい落ちに仕上がっている。かの女はルビーと同じ顔。女優の名前はゾーイ・カザンでエリア・カザンの孫。この作品の脚本も手がけている。

一見お伽噺風の『ルビー・スパークス』には、創作にかんしてさまざまな問題やテーマ、ヒントが織り込まれている。観る者がこの映画をエンターテインメントとは別だと覚悟を決めて観ると、そこから創作にかんして議論を展開することができる。アメリカの一時期の出版界の様子、小説の映画化に関する企画の練り方の一例、書くことと書けぬこと、リアリズムのルールをひとつだけ破ることによって輪郭があきらかになる作家と作中人物の関係、作中人物がひとりで歩き出すということの重要さ、作家が作中人物を隷属化することによる作品の息苦しさ、重要な問題を扱いながら作品の娯楽性に限界が出てしまう状況など、いくつもの創作上の問題点を拾うことができる。作品のひび割れた部分からこそ、別の完璧に近い作品からは引き出せぬ問題群が垣間見える点を評価すれば、リアリズム世界における禁じ手も受け容れられる。

最後は『ツイン・ピークス』[2]（アメリカ、テレビドラマ、一九九〇）。同じデヴィッド・リンチ（一九四六―）監督の、映画についての映画、つまりメタフィルム『マルホランド・ドライブ』（アメリカ、二〇〇一）の不可解さや遊び心と比べると、『ツイン・ピークス』のローラの世界はまだしもわかりやすい。豊かな家庭、ややふさぎ気味な母親、高圧的な父親、男子高校生に常に注目されての高校生活、はたして本当に必要なのかわからぬレストランでのアルバイト。これらがアメリカの地方の女子高校生の普段の生活として珍しいということもなさそうだ。そこに夜のボーイフレンドとのオートバイでの外出が入っても同様だが、さらにもうひとつ、地域の大人たちとの秘密のパーティへの参加となると解釈の分かれるところだろう。高校生のときにある種のピークが来て、大学に行けば勉学が中心、就職すれば妙に大人びてしまうという高校生の生活の最後の大パーティの夜を描いた『アメリカン・グラフィティ』（一九七三）の世界から見れば逸脱と見えるが、時代を考えればローラの加わる秘密のパーティが単なる想像上の産物とも見えない。いずれにしても『ツイン・ピークス』には抽象的な思考や記述は出てこない。せいぜい作中人物たちの言葉にもならぬ「恐怖」という観念くらいだ。では、かれらは抽象的な思考をしないのであろうか。「ローラの日記」に人を向かわせるのは、そのような関心だ。ローラのやや息苦しい家庭生活、学校の休み時間、放課後のアルバイト、夜の秘密パーティに抽象的な要素は無縁なのであろうか。

作家でなくなるということ

日本の映画で作家はどう扱われるだろうか。『濹東綺譚』[3]（一九九二）は原作小説の永井荷風（一八七九—一九五九）が主人公だから、作家が主役の映画ということになる。この主役は仕事の関係でアメリカやフランスに渡り、いま、日本に戻り、洋風の家に住んでいる。日々の生活を綴り、日記を何冊か出したところだ。日記の内容は抽象的というより、むしろ具体的で、街歩きがもとになっている。そんな作家が濹東、つまり墨田川の東に足をのばし、玉の井でお雪という女性と出会うところから映画はメインストーリーに入る。レストランでフランキー堺ふんする菊池寛が登場したり、サーヴィス精神旺盛な作品だが、実は存在感のあるのはお雪の店の乙和信子扮する女将で、かの女のひとことひとことが実に重い。作家は書いているときが作家なのであって、玉の井に足を運ぶときは作家でなくなる。さて、空襲で作家の家も女将の店、つまりお雪の住処も焼ける。やがて終戦となり、浅草雷門の前で空襲を生き延びた女将とお雪が、津川雅彦演じる主人公とすれ違う。あまりに老いさらばえているので、別人と思い込む。文化勲章の受賞時の記念写真が載った新聞を見て似ていると思うものの、まさかね、で終わる。女将もお雪も具体の最たる生活を淡々と生きる。

『全身小説家』（一九九四）は作家井上光晴（一九二六—一九九二）の還暦前後の生活を克明に描いたドキュメンタリー作品だ。井上はこの時、病に冒されていた。医師と話をする。病状の説明を受ける。

それを文学伝習所の弟子たちに語る。そうした日常は、当事者やまわりの人々にとって深刻なはずだが、それも井上の生涯全体の一こまのように淡々と描かれ、湿っぽいところがない。井上について語る埴谷雄高（一九〇九―一九九七）のことばは、歯切れのよい東京風の話しかたのそれで、無駄がない。同じく井上と近い瀬戸内寂聴（一九九二―）のことばも遠回りをせず、核心を常につく。井上、埴谷、瀬戸内のことばに共通するのは、この遠回りを避けるというかたちだ。実際、ことばを発し続けるかれらにとって、日々表現をしているかれらにとって、小説を書いているかれらにとって、人生が長かろうが短かろうが遠回りをしている暇はない。遠回りそのものをテーマにする作家もいようが、かれらは違っていた。ドキュメンタリーは井上の葬儀に終わる。瀬戸内がここでももちろんのこと核心をつくことばによって井上を弔う。書くことが、あるいは書くことしかと言い換えてもよい、それこそが小説家にとって生きる意味だ。

作家の誕生と自己の分裂

映画『ゲーテの恋　君に捧ぐ「若きウェルテルの悩み」』（ドイツ、二〇一〇）は、ゲーテ（一七四九―一八三二）の伝記のうち若き日の法律修業の日々に充てられている。ここでゲーテはロッテという女性と恋に落ちる。『若きウェルテルの悩み』[4]（一七七四）と同じ設定だ。この小説が『ゲーテの恋』の下地になっているが中身はかなり異なる。ウェルテルはピストル自殺を遂げる。ゲーテは生き延びて文豪となる。いかなるいきさつでという疑問にウェルテルの物語とは違うかたちで答えを出したのがこの映画だ。映画のなか、ゲーテにはケストナーという上司がいる。ケストナーもロッテを妻にと望み、その父親に許可を求める。ロッテは一度は結ばれた（原作とは異なる）ゲーテをあきらめ、父や弟、妹たちの生活を保障するケストナーと婚約する。ゲーテとケストナーは決闘の末、ゲーテは一時、拘束される。ゲーテはロッテへの想いや自分の恋をそこで一気に書きあげ、ロッテにおくる。傷心のゲーテが父に連れ戻されて故郷に戻ると、通りで新刊書が飛ぶように売れている。人々が騒々しくその小説を買い求める。作品のタイトルは『若きウェルテルの悩み』。ゲーテから原稿を受け取ったロッテは、これを世に出さぬ手はないと、出版社にかけあった。それが今、ゲーテや父親の目の前でベストセラーになっている。好きな相手は上司のもとへ、しかし自分のもとには作品と大作家としての名声が残ったというある種のご都合主義がはたらいているものの、作家の誕生には作家の予期せぬ要素が加わるものだという納得のしかたもできる。遠く離れた日本で観ると、こういう風俗のもと、こういう家にロッテが住み、こういう場にゲーテが下宿しと視覚的にこうであろうという知識も身について、それはそれでおもしろい。

ジョルジュ・サンド（一八〇四—一八七六）を主人公とした作品に『詩人、愛の告白』（フランス・ドイツ・イギリス、二〇一二）がある。のちにリストやショパンと交際をするサンドには、その前に詩人アルフレッド・ド・ミュッセ（一八一〇—一八五七）がいた。若き日のミュッセはパリで放蕩を繰り返す。酒に溺れる。パーティに出入りする。そして空しく日々が過ぎていく。そうしたなか、父の危篤の報に接する。急ぎ故郷の村に向かうも間に合わず、父はミュッセに手紙を残してなくなる。死に目に会えなかったミュッセはそれまでの生活を改め、毎日墓参する。冬が来た。ブラマンクの雪の世界のような道をひとり行くと、子羊に手を差し伸べている女性がいる。それがジョルジュ・サンドだった。伯母と暮らす未亡人のジョルジュ・サンドの家にミュッセは足しげく訪れ、友情は深まる。サンドはミュッセに愛の告白をさせぬよう仕組む。告白を受ければ、ミュッセを受け入れ、やがていまの友情に終わりがくると知っていたからだ。しかしミュッセは告白する。サンドはミュッセに、二人のミュッセがいると言う。自分と交友するミュッセ、そして友人と放蕩の限りをつくすミュッセ。どちらが本当の自分かを確かめるよう、サンドはミュッセにしばらく村を離れるよう求める。ミュッセは一方の自分でいるときには他方の自分に惹かれ、他方の自分でいるときには一方の自分に惹かれると知る。あたかも抽象のパリが具体の村に憧れ、具体の村が抽象のパリに憧れるかのようにミュッセは引き裂かれている。

ジョルジュ・サンドを演じるのはシャルロット・ゲンズブール（一九七一―）で、抽象的な内容に踏み込んだ映画で本領を発揮する。『サンバ』（フランス、二〇一四）は移民問題。『メランコリア』（デンマーク、二〇一一）は人と宇宙。ラース・フォン・トリアー監督『ニンフォマニアック』（デンマーク、二〇一三）の具体の極みの性とてゲンズブールが演じると観る者は抽象の世界に足を踏み入れることなる。

ジョン・キーツ（一七九五―一八二一）という人物も英文学ではよく知られている。ロマン派の詩人のひとりで若くしてなくなった。ロンドンの北部に住み、現在はキーツの家という記念館になっているが、その暮らしぶりが映画『ブライト・スター　いちばん美しい恋の詩』（イギリス、二〇〇九）からわかる。キーツは隣家のファニー・ブラウンに恋し「キーツの手紙」を後世に残した。しかしファニーと結婚できるほどの収入はない。気に染まぬ作品を書いては才能を空費する。相手のファニーのほうはことばを対象に仕事をしようなどとは考えない。ファニーは衣類のデザイナーのような仕事をし、いわばモノの創造にかかわる。やがてキーツの弟が亡くなり、キーツも短い生涯を終える。

芸術と人生、それぞれの意味と無意味と

『推理作家ポー　最期の五日間』（アメリカ、二〇一二）はエドガー・アラン・ポー（一八〇九―一八四九）の晩年の謎に挑戦する映画だがメタフィクションの仲間に入れてよいだろう。詩や小説を書くことについての映画だ。映画だからメタフィルムということになる。それだけでなく、この作品は文学の存在意義という問題まで射程に入れている点が重要だ。冒頭、ポーはボルティモアの酒場に現れる。形容過剰な言葉を乱用し、酒場の主に酒を求める。主は借金を返してからにしろと迫る。ポーがどれほど自分を偉大な詩人と自称しようと、酒代を払わなければ主にとってただの無銭飲食をする男でしかない。事実、ポーはいつも金に困っていた。ところがこのボルティモアの地に猟奇的な殺人事件が発生する。しかもその手口がポーの作品のそれに酷似している。犯人の要求は、一連の事件につき、ポーに結末を書き、それを新聞に載せよというものだ。ポーは誘拐された恋人を救うため、犯人の要求にしたがい、作品を書き、新聞に載せる。さて犯人は、というのがこの映画。まず文学の存在理由の希薄さを文無しのポーを描くことで問題化する。次に、連続殺人を犯してまでもポーに作品を書かせようとする倒錯的文学愛好者と思しき犯人の謎めいた動きが暗示される。最後に、金のためでも、悪ふざけでもなく恋人のためにペンをとり作品を仕上げるポーがいる。この段階のポーにとってもはや文学は小金の源ではなく、人の命を救うための手段だ。さて、ポーと捜査当局は別々の道をたどって、ついに犯人にたどり着く。犯人はポーとあたかも作品を共作しているという境地にある。ポーはフィクションを書き、犯人はそれを読み、フィクションの世界を現実化する。そして現実化された事件からもう一度フィクションをポーに書かせる。現実に足をつけていなかったポーという男は、犯人の手で現実をようやく見つめることになる。わずか死の数日まえのことだった。『推理作家ポー　最期の五日間』は、意外なことにイシグロの作品『充たされざる者』につながる。詩人も音楽家も一般社会で居場所を見つけにくいということを、かたや娯楽として、かたや不可解な読み物として提示しているからだ。

ポール・ヴェルレーヌ（一八四四―一八九六）は十八歳の妻の家に入り、今、ふたりのこどもが生まれようとしている。そこにレオナルド・ディカプリオ演じるアルチュール・ランボー（一八五四―一八九一）が転がり込む。『太陽と月に背いて』（イギリス、一九九五）はこの二人の映画だ。ランボーは家の調度を壊したり、盗みを働いたりだが、ヴェルレーヌはかれを天才とたたえ厚遇する。ランボーは、ヴェルレーヌにその妻のことをたずねる。年齢、その他。ヴェルレーヌは、若さも金もある、ただ、自分を理解してはくれぬという。ランボーは夜会で暴れ、ヴェルレーヌの夫婦仲を悪くし田舎に戻るが、やはりヴェルレーヌのもとに戻る。ヴェルレーヌが異常な行動にでる。こうした二人の話が延々と続く。ふたりの話はえてして抽象的になるが、それがどれも空疎に響くかのように描くところが、問題につながる。抽象論の空疎、人生論の空疎を承知のうえで作品を展開しているかのようにみえる。果てはランボーとの関わりでヴェルレーヌが二百フランの罰金刑と懲役二年の刑をうける。

話が佳境に入るのはむしろランボーがヴェルレーヌと別れてからで、ランボーはアフリカ、アビシニアに渡り、そこで貿易にかかわる。十年の歳月の後、病を患い、故郷に戻り、家で妹の看病をうけるが、太陽に旅立ちたいとのことばを残し、家を去る。

この話の枠組みは、ランボーが亡くなってからその妹がヴェルレーヌに会い、ランボーの後半生を語り、ヴェルレーヌの手元にあるランボーの作品を送ってもらえないかと頼むシーンにある。妹にとり兄ランボーの作品は家族の遺品であり、出版されるべき大切なものだった。妹の依頼を聴いたヴェルレーヌは手持ちのランボーの原稿を送ると約束するが、妹が店を出ると、その名刺を破り捨て、アブサンをふたつ注文する。そのうち一杯はヴェルレーヌの想像のなかのランボーのため。

　全体を通して振り返ると、詩の意味・無意味、文学の意味・無意味、芸術の意味・無意味という問題提起が作品の本質のようにみえてくる。芸術の意味・無意味のさらに奥には人生の意味・無意味という問題が横たわっている。他方、ランボーが何を書こうと、書いてあることの意味がわからない母親のシーンも漏れなく描かれている。ただ、妹だけは、幼少時から兄の最期まで、そして作品の最後まで、兄ランボーもその作品も信じていた。

　文学の意味という問題は、詩人を描く作品につきもので、T・S・エリオット（一八八八―一九六五）と妻との関係を描く『愛しすぎて　詩人の妻』（イギリス、一九九四）も例外ではない。『荒地』（一九二二）で知られたアメリカ出身でイギリスに移った詩人エリオットにとって、それは妻の母のことばというかたちで顕在化された。

　二十世紀前半、ロンドンのヴァージニア・ウルフ（一八八二―一九四一）らを中心にゆるやかなサークルを形成していた作家や芸術家は、文学史ではブルームズベリー・グループと呼ばれている。エリオットもイギリスにわたり、こうした作家たちの姿に魅せられた様子だが、映画では妻の母から冷水のようなことばを浴びせられる。ブルームズベリー・グループなどといい気になっているが、無意味という趣旨のことばだ。この作品のなかのウルフは、映画『めぐりあう時間たち』（アメリカ、二〇〇二）のなかで『ダロウェイ夫人』（一九二五）の創作に苦しむニコル・キッドマン演じるウルフ像からは遠く、華やかに着飾って夜の席を楽しむ人として描かれている。

現実の生活から本という抽象へ

チャールズ・ディケンズの時代はフリードリヒ・エンゲルス（一八二〇—一八九五）がマンチェスターにある父親の紡績工場の経営にあたっていた時代、エンゲルスがカール・マルクス（一八一八—一八八三）に出会った時代、そしてマルクスがロンドンに亡命し、当時大英博物館のなかにあった大英図書館で『資本論』（一八六七、一八八五、一八九四）の執筆に励んでいた時代と重なる。『マルクスとエンゲルス』[6]（ドイツ・フランス・ベルギー、二〇一七）はふたりの二十代を描く。ディケンズは文字だけで読むと理解しにくいが、実際のロンドンを歩く、あるいは映画化された作品を観ると、当時の労働者の窮状の描き方という点で、エンゲルスやマルクスの目にした時代を描いていた。

作中人物には、マルクス、エンゲルスを始め、「空想社会主義者」と形容されるプルードン（一八〇九—一八六五）、バクーニン（一八一四—一八七六）といった人々も登場する。DVD付録のブックレットの「登場人物関係図」にはマルクスに影響を与えたフォイエルバッハ（一八七四—一八七二）の名も挙がっている。その著書『キリスト教の本質』（一八四一）は、先に触れたヴィクトリア朝の作家ジョージ・エリオットが英語に訳しているところも、十九世紀の人たちの繋がりの妙を示す一例だ。

映画のなか、マルクスは、プルードンの主張を「アブストラクト」と形容する。プルードンの新著『経済的矛盾の体系、または貧困の哲学』（一八四六）に対抗し、『哲学の貧困』（一八四七）という論文を出す。ところが三十歳をむかえようとするマルクスはエンゲルスに疲れたとこぼす。小さな論文やパンフレットの執筆では何も残らない。本のかたちにしないと、と焦る。映画最後の章は、「『共産党宣言』」というタイトル。そこではマルクス、エンゲルス、マルクスの妻イェニー、エンゲルスの伴侶メアリーが、その原稿に目を通して、字句を修正している。工場主の息子エンゲルスはメアリーを通してマンチェスターの労働者の現状に触れ、実際の運動では、会合の段取りやら、演説の流れやらを考える。マルクスはそうした段取りに弱い。エンゲルスがマルクスの理論の根幹を理解し、それをだれにでもわかるかたちで演説にのせる。マルクスはロンドンで生活という現実に追われながら『資本論』執筆という抽象世界に向かう。そのようにこの映画の中の二人は描かれている。

詩と哲学の抽象と日常生活の具体

『抱擁』（イギリス・アメリカ、二〇〇二）は二重構造[7]の作品だ。これをからくり倒れとするか、評価するかは個人の好みとなるが、詩の研究法の一端をうかがわせる娯楽作品だ。

ひとつ目の構造は作品の現在時。ここにはローランド・ミッチェルというアメリカ人研究者とかれの指導教授ブラック・アジャー、ローランドの同僚のファーガス・ウルフ、そして女性のモード・ベイリー博士[8]が登場する。ローランドはロンドン図書館で偶然にもヴィクトリア朝の詩人とされるランドルフ・アッシュの女性に宛てた二通の手紙を発見し、モードに相談する。詩人アッシュは妻と穏やかな生活をおくったというのが現在時の定説だが、手紙からたどって、実在の女性に辿り着けば、定説が覆される。実際アッシュにはクリスタベル・ラモットという女性がいて、これが第二番目の構造。クリスタベルは画家のブランチ・クローヴァーという女性と生活をしており、話がさらに複雑になる。

以上のような構造で、ヴィクトリア朝のカップルも、現在時のカップルも恋に落ちてゆくので、そこに目新しさはない。観るもののそうした批判を予想してか、モードは途中でアッシュとクリスタベルの足跡をたどることの意味を疑い始めさえする。だがローランドとモードは、この発見が金につながると判断したファーガスらの陰謀を知るにおよび、最後まで調べてみようとする。最後には作品に仕掛けられたすべての謎と秘密が明らかになる。

冒頭、娯楽と述べたのは撮影場所に関してのことだ。ローランドの大家の弁護士の家、モードの研究室、アダー教授の研究室、大英博物館の地下室、ロンドン図書館と現代のイギリスの室内ばかりでなく、詩人アッシュの書斎、クリスタベルの書斎、画家ブランチのアトリエなどよくできている。クリスタベルの詩というやや抽象的な世界の背景を、ローランドとモードが具体的に肉付けしていく過程も興味深い。ただ、モードの嘆きに見られるように、出てくる結果については有意義であることもあるし、徒労、さらには時間の無駄、もっと悪いことにトラウマになることすらありうる。現実の研究と大差ない。

若くしてみずから命を絶ったアメリカの詩人シルヴィア・プラース（一九三二—一九六三）の伝記映画『シルヴィア』（イギリス、二〇〇三）では、ひとりの女性のなかで書くという抽象と生活をするという具体が典型的なかたちでせめぎあう。かの女はイギリスの詩人テッド・ヒューズ（一九三〇—一九九八）と結婚する。かれらの出逢いは鮮烈だった。テッドはシルヴィアに書くことを求めるが、シルヴィアはケーキを焼き、子育てをし、詩を書く時間を捻出できずにいる。小説『ベル・ジャー』（一九七一）も本当に書きたいものではない。

夫のテッドはそれを理解せず、書くことばかりを促す。そんなテッドもこれまた典型的なジレンマを経験する。シルヴィアの故郷アメリカでは詩が書けないという。生活のために詩を教え、詩そのものが書けなくなる。シルヴィアはテッドと別れて自由になれたと感じる。詩を溢れるように書けるようになる。テッドと再会し、もう一度と考えたところ、テッドと愛人との間に子どもができたと知る。

ひとつの家に詩人がふたり。どちらかがどちらかを駆逐しかねない状況。そして弱いシルヴィアがやがて自ら命を絶つ。互いにたがいの作品を評価しても、生身の人間どうしとしてはことあるごとにぶつかる。芸術家どうしが同じ屋根の下で暮らすことの困難、夫婦になることのむずかしさという、むかしからの問題が典型的に描かれている。生活は詩という抽象世界ではない。

抽象と具体に揺れる哲学者の映画『ウィトゲンシュタイン』（イギリス・日本、一九九三）を入りやすい作品にしているのは当人の幼少時を演じる子役ジョン・クエンティンの演技だ。かれの案内のもとルートヴィヒ・ウィトゲンシュタイン（一八八九―一九五一）の伝記が次々と語られ、世間一般では奇人と写りかねない言動の人物が登場する。たとえば赤いガウンを身にまとい、ウィトゲンシュタインをケンブリッジに引き戻そうとするバートランド・ラッセル（一八七二―一九七〇）、その友人の女性、経済学者ジョン・メイナード・ケインズ（一八八三―一九四六）、その妻でバレリーナのリディア・ロポコワといった人々だ。ケンブリッジのヴィトゲンシュタインのセミナーには、ラッセル、ケインズ、ジョン、ごく少数の学生が参加し、ヴィトゲンシュタインの講義を機に質疑応答が行われるが、ひとりで執筆できる場所に逃げてしまい、そこでも書けないと言い、またケンブリッジに戻ってくる。いつも抽象世界にいるウィトゲンシュタインは労働に対する一途な憧憬を抱き、モスクワに行ったり、手仕事を始めたりと、ケンブリッジの生活に馴染めない。

しばらく陰鬱な作品が続いた。芸術を詩を、明るく堪能できる作品はないのであろうか？　ある。同じ屋根の下に暮らしながら、夫婦や恋人どうしという関係でなければ、芸術家どうしの共鳴は持続する。『エンドレス・ポエトリー』（フランス・チリ・日本、二〇一六）は詩人アレハンドロ・ホドロフスキー（一九二九—）の成長の物語、監督でもあるかれの自伝的作品。故郷トコピージャを離れサンティアゴに移り住み、父の稼業の商店を手伝い、やがて従兄リカルドの紹介で芸術家姉妹の家に出入りする。エンリケ・リン、ニカノール・パラといった後の世界的詩人とも出会う。なかでも女性詩人ステラ・ディアスとの出逢いは強烈で、アレハンドロは一時その虜になる。やがてアレハンドロのほうにエネルギーが移ったのか、かれの詩作の成熟とともに、ステラの精彩は薄らぐ。

脇役もよい。アレハンドロを医者にしようとする頑固な父親。その科白はすべて歌と、家をオペレッタの舞台にしてしまうかのような母親。いともたやすく活用されるマジック・リアリズムという手法の産物である後年のアレハンドロの姿。この詩人として大成したアレハンドロは、若きアレハンドロと父親を和解させる。気持のしこりをとりはらったアレハンドロは『シュルレアリスム宣言』のアンドレ・ブルトンに会おうとパリへの船旅に出る。パリのブルトンに会ってどうなるか、パリのブルトンの様子は、残念ながら描かれていない。

明るくとはいわずとも、普通に芸術を、詩を日常レヴェルでとらえる作品はどうであろうか？映画『パターソン』（アメリカ・ドイツ・フランス、二〇一六）はパターソン市に住むパターソンという男の話だ。かれはバスの運転を仕事とし、日常生活を淡々とこなす。唯一の楽しみは、犬の散歩とバーでの一杯。妻はそれをよく理解し、家の内装を工夫するなどして満足に暮している。パターソンにはもうひとつ大事な日課がある。すべて平凡、具体的な生活のなかで、ひととき抽象の世界に足を踏み入れる時間。それは詩作の時間だ。起伏のない生活のなか、身のまわりのありふれた題材に考察を加え、毎日詩を書く。

抽象と具体の往還、創造の持続

抽象と具体の往還に創造者の創造行為のありようが見え隠れする点については、イギリス、ヴィクトリア朝のエリオットやディケンズといった作家たちの作品を読んでいた一九七〇年代から着目してきた。抽象にも具体にもさまざまなバリエーションがあるものの、作家のノート、つまり絵画で言うデッサンから作品に至るまでの創造過程は、抽象から具体への一例と見なせる。そこから作家はさらに具体から抽象へと転じ、また抽象に回帰する場合もある。

これと平行し、現実のモノが作品のなかでことばに置き換えられ、現実世界とは別のことばによる世界が構築される現象も視野に入ってきた。これは具体から抽象という方向の流れだ。二十一世紀末、自著『コヴェント・ガーデン—ロンドンで一番魅力的な広場』(河出書房新社、一九九九)でモノの集積する市場が、ことばによって表現されるとどのようなことが起こるか、市場の描写は作品中でどのような価値を付与されるかについて考えた。このロンドンの中心にある市場を出発点に、モノという現実が横溢するアジアの諸都市の市場で、抽象に向かう傾向があるかを探り始めた。食料など生活品という具体が、抽象的な産物に変化していく様をアジアの諸都市に求めた。

人の移動、モノの流通は、やがて文化の移動に転じる。自著『絨毯とトランスプランテーション二十一世紀のV・S・ナイポール』（音羽書房鶴見書店、二〇一七）で扱ったのは、旧植民地出身の作家ナイポールが少年時代にイギリス製のミルク缶に異文化を感じ、しばし憧憬をおぼえ、イギリスに自らの身を移し、そこに根をおろすというプロセスと、それとパラレルな現象を実在の人物とフィクションの人物の双方について追った考察だ。モノという具体に異文化を感じ、抽象へと転ずるかたちは、他のポストコロニアルの作品にも見られ、広範囲に確認できる。

植民地出身者の創作方法には、自国に近代的な確たる文字文化の伝統が不在のため、しばし、宗主国の創作の手法に依拠することがある。ナイポールしかり、ラテンアメリカの作家たちしかり、さらに二十世紀末から活躍著しいカズオ・イシグロのような作家も、広い意味でこの系譜に属する。かれらの創作行為を「借景」ということばで捉え直したのが、自著『引用と借景』（二〇一八）だ。二つの用語は、ひとつ文学にとどまることなく、美術、映像、音楽への展開につながった。ひとつの考察がジャンルを越えるとき、そこには抽象の力がはたらく。抽象の助けを得てジャンル越境後、具体の検証が始まる。引用や借景だけでは説明のつかない創作過程の有り様を模倣と創造という用語のもとに整理し『創造と模倣』（二〇一九）にまとめた。ここでは模倣という具体的な作業が、いかなる契機で創造行為に変貌するかを扱った。

この過程で創作過程における抽象と具体の往還という問題が浮上した。作家は、抽象より始め具体に至る、あるいは具体から抽象に至るというかたちをはじめ、幾多の抽象と具体の往還の反復により、創造行為を持続する。

第七章 脚注

1 『ヴァンゼー会議』 ロンドンのフラットのテレビで、つまり目の前にヨーロッパを見ながらという環境も手伝って印象深い。第二次世界大戦へのアメリカの参戦や、開戦当時の勢いをうしないつつあったドイツの劣勢を巻き返そうと、ヒムラーの右腕としてブラナーが会議を主導する。結論ありきの会議だった。会議の席でブラナーの説明する新たな政策に反対の意を唱える人々を、休憩時間にひとりひとり、説得する、というよりは潰して行く。この会議を経て、ドイツはその後の国内および占領地域でのユダヤ人に対する姿勢を大きく変えていった。

2 『ツイン・ピークス』 映画は『ツイン・ピークス ローラ・パーマー最期の7日間』（一九九二）。主人公ローラが書き連ねていた日記はのちにそれ自体が『ツイン・ピークス／ローラの日記』として出版されている。

3 濹東綺譚 原作は一九三七年。映画化は一九六〇年の東宝、一九九〇年の日本アート・シアター・ギルド（ATG）・東宝、二〇一〇年にも映画化されている。

4 『若きウェルテルの悩み』 ゲーテはその後、『ファウスト』（一八〇六）や『イタリア紀行』（一八一六）を書くことになる。

5 ブルームズベリー・グループ かつてのウルフの住居がロンドン大学の建物の一室となっていたり、同じくかの女の別の住居がバーナード・ショーと同じ建物にあったりと、ブルー・プラークを探しての文学散歩者にはブルームズベリー地区は見るものに事欠かない。

6 『マルクスとエンゲルス』 監督のラウル・ペックは一九五三年ハイチの生まれ。ベルリンで経済工学を学び、その後、ドイツ映画テレビアカデミーベルリン（dffb : Deutsche Film und Fernsehakademie Berlin）で映画を学ぶ。ハイチの文化大臣やフランス国立映画学校FEMISの学長もつとめた。トリニダード・アンド・トバゴの初代首相で、『資本主義と奴隷制』（一九四四、山本伸監訳）の著者エリック・ウィリアムズ（一九一一—一九八一）がラウルの祖父の世代とすると、トリニダード出身のV・S・ナイポールはラウルの父の世代ということになる。

7 二重構造 例としてイギリス文学の映画化でほかによく知られているのは『フランス軍中尉の女』だが、当然のことながら評価は分かれる。

8 モード・ベイリー モードを演じるギネス・パルトロウは『恋するシェイクスピア』、『エマ』、『大いなる遺産』、『シルヴィア』など多数の文芸作品に出演している。

おわりに、そして、はじまりに

二〇二〇年四月、新型コロナウイルス感染症は全世界に蔓延し、日本も本格的な影響にさらされ始めた。著者の勤務校のある中部地区では国立大学法人がいち早くオンライン授業を打ち出し、勤務校も四月上旬にオンライン授業の導入を決めた。著者より少し上の年代、大学生時代が一九六〇年代末にかかる方々は大学がロックアウト（学内のバリケード封鎖）となり、ほぼ一年間、対面式授業を受けられず、レポートを書いて過ごしたと語っていたことを思い出す。その時代に提起された授業の問題、大学の問題の多くが今もって解を得ていないことも再認識した。

コロナ禍の影響で大学の対面式授業はオンライン授業にとって代わられる。具体の授業が抽象の授業になる。学生も教員も授業をめぐり抽象と具体の錯綜のなかに放り出された。はたして抽象の授業は成りたつのか。たとえば語学学習では、テクノロジーの発達によりラジオ、カセットテープ、CD、外国のドラマ放送の受信、外国の外国語教育番組の受信と、ほとんどコストが気にかからぬところまでの発展を遂げた。それらをうまく組み合わせ、独習で成果を上げる学生が今世紀、次第にその数を増やしていった。大学の授業もまたラジオ、テレビ、インターネット上の講義をうまくつないで、大学のカリキュラムとは別に、自分独自のカリキュラムで独習する学生が増えた。時間管理をすることも高等教育の目的のひとつととらえれば、意識するしないにかかわらず、それを実践する学生もまた増えたことは学生の自主性ととらえても差し支えなかろう。教員はウェブ上で学生向けの課題を事前に用意する。オンライン授業はそうした学生たちに、精度を増した新しい授業として受け容れられる部分もあろう。しかし、そうした抽象化された授業には、教員と学生が対面する一回性の教室、問いと対話の発生する緊張した場の具体性がともすると欠けがちだ。

教員が訥々と教室でことばを紡ぎ、思考にしばし沈黙し、その思考を再度ことばというかたちで発するという思考の生成の場、ことばの生成の場としての教室こそ、思考する次世代を育む場ではないか。卒のないオンライン授業、言いよどみや記憶違いの混入しにくいオンライン授業に対し、ときに緻密さが犠牲となろうとも、何かを探究しようとする情熱を伝達しうるのは、そして今まさしく学生と教員が考えついた思考の産物を双方が感じとるのは、文科系の話に関するかぎり、教室という一回性の場でしかない。対面式であれば、同じ轍に足をとられないでほしいという願いを込めて、教員は自らの失敗を語ることも容易だ。

何であれ一度振れた振り子は反対側へと振れる。大学教育がオンライン授業という抽象に振れるならば、またその反動として、具体への郷愁から、対面式授業への要求も高まる。

オンライン授業と対面授業は今後、試行錯誤のうえで最適なバランスを得ていくだろう。自室で読書やパソコンの作業に集中することと外出することのバランス、国内にとどまることと海外に出かけることとのバランス、「いま—ここ」に思考を集中することと過去や未来に思考をめぐらすことのバランス、教員が予め用意した授業内容を学生に伝えることと学生の疑問を受けてその場で思考し伝えられることとのバランスを保つことなども、学生と教員に課せられた今後の課題だ。

大学の授業のあり方が激変するならば、学問をすることの意味もまた改めて問われる。授業のあり方はその具体的方法だけでなく、二十一世紀末までを見据えての考察を必須とする、大学の意味を問う抽象的な課題である。なぜなら大学とは想像力や思考力を育成する場であり、まだ見えぬさらなる人類の難問に挑戦する力を学生や教員に与える場であるから。大学で涵養された想像力や思考力は、個や社会、個と世界の存続の基礎となり、さまざまな組織において、長きにわたって試されていく。明治維新後の近代日本で誕生した大学は第二次世界大戦終了後に大きな変革を遂げたが、今回のコロナ禍による授業の変革もまたそれらに匹敵する学問における歴史的事件ともいえる。明治維新や第二次世界大戦後の激変が、ある種の外圧の結果とすると、今回の相手は自然という外圧で、人を相手にするようなわけにはいかない。交渉も効かない。

大学だけではない。人の生活のすべてにおいて、避けがたくコロナウイルスが侵入する。ウイルスという具体的なものと、まったく見えない抽象的なものにわれわれは取り囲まれる。手を洗う、人の密なる場所を避ける、マスクをするなど日々の具体に追われつつ、報道される感染者数など抽象的な数字に翻弄される。地域が数値で表現される。人の顔の下半分がマスクで抽象化される。ブラマンクの絵画「雪の洗濯場」（三九頁）ではないが、世界中に雪が降るようで外出もままならず、都市は静まり返り、音のない世界は抽象性を増す。

社会的な危機はそれまでの個人の具体の生を、有無を言わせずに奪い、失わせてしまう。日本を襲った自然災害の危機では、大正時代の関東大震災があり、一九九五年の阪神淡路大震災の記憶はまだ新しく、二〇一一年からの東日本大震災はまだ継続し、ほかにも多くの自然災害が毎年発生している。他方、人間が引き起こす災厄の危機は別のかたちで個人を襲う。戦争は市井の個人の意思とは別のところで起こり、当該国の国民全員と、周辺国の個人を巻き込んでいく。第二次世界大戦末期の東京大空襲の火の海は、関東大震災が変えた東京という都市とその市井の人々の生活を再び大きく変えた。戦後の経済的な危機では、一九七三年のオイルショックが多くの若者から就職の機会を奪った。一九九〇年からのバブル経済崩壊もまた学生の就職口を狭め、大都市の多くの住人から持ち家の夢を奪った。二〇〇八年のリーマンショックは、金融に軸を移しつつあった日本経済の足を挫いた。すべての危機で、人は大切な何かを、人や時間や経験を失う。失われた具体はことばで抽象化してみても戻らない。

人にはさまざまな危機が降りかかる。身近な人の死や個人の病など個人レヴェルで経験する危機もあれば、社会レヴェルで経験する危機もある。冠婚葬祭の「葬」はかたちの上では四文字の四分の一でしかないが、一度起これば、影響は大きい。進学、就職、結婚、誕生といった慶賀に値する出来事の裏には、それぞれ、不合格、失職、別離、死といった負の出来事が待ち構えていることもある。個人はそれをだれの身にも降りかかることとして耐える。

本書の執筆でイタリアを舞台とする作品を考えていた二〇二〇年二月末、イタリアはヴェネツィアのカーニバルを中止し、さらに三月上旬には突如、ヴェネツィアを含めた都市をロックダウン（都市封鎖）した。あっという間にコロナの患者が増え、多くの人が倒れていく状況に心が波立つのと同時に、生と死を対比させる作品の記憶が甦ってきた。人が次々と姿を消していくトーマス・マンの『ヴェニスに死す』の映画、そして学生時代に読んだヘンリー・ジェイムズの『鳩の翼』は、死の対局としての生を直截的に扱う作品といえる。翻訳でも難解な心理劇で、一九九七年に映画化された。作品の解説はここでは省くが、『鳩の翼』は限られた生のなかでどう生きるかという問題を読者に提示する。カズオ・イシグロの『わたしを離さないで』も、死期を定められたクローンのキャシーがどう生きるかという問題を提示した。若い作中人物ばかりではない。『忘れられた巨人』はアクセルとベアトリスという高齢の夫婦がどう生きてきたか、そして晩年をどう生きられるかという作品だ。

そして四月、イタリアの作家パオロ・ジョルダーノによる『コロナの時代の僕ら』（早川書房、二〇二〇）というタイトルのエッセイが緊急刊行されることを知る。ネットでは本文が期間限定で無料公開され、著者のなかでの小さなイタリア経験のさざなみを落ち着かせてくれる内容がそこにあるのではと一息に読んだ。

ジョルダーノにとっては病気よりなおいっそう、怖いものがある。それはコロナ流行によって変化することであり、また、変化しないことだという。一見、矛盾したことばで表現されているが正直な反応だ。ありふれた既存の社会とそのシステムが実際は脆く頼りないものだと気づかされるのが怖いと。またコロナ流行によってすべてが変化し、リセットされるのも、また、恐怖が過ぎ去ったあとに何の変化も起こらないことも怖れる。具体の破壊と抽象との間で心が往還する。どちらかに偏り安心するのを避ける。著者の言う「現実」の「複雑」さを理解しようという試みといえる。

そしてジョルダーノは控えめながら決然とした姿勢で、自分の反省点を列挙する。世界の人々のみならずさまざまな種が影響する、そのことを意識する必要を説く。そのうえで、今回の危機をのりこえられたとして、そのあと、忘れないために、今、思考したことを書きとどめておくということを勧める。今回のコロナ禍がたとえ終結しても、この期間に目についたさまざまな問題を忘れてはならないという。もちろん執筆時のイタリアの苛酷な実情に根差した指摘も多々あるが、ここにあげた点はどの国にも、そして日本にも当てはまる。加藤周一は『日本文化における時間と空間』（岩波書店、二〇〇七）の冒頭で「水に流す」という表現を引きながら、「日本社会においては殊に、現在の生活を円滑にするために、過去に拘らぬことを理想とする傾向が著しい」（同書、「はじめに」より）

と書いている。

人々は再びアルベール・カミュの『ペスト』や古いところではダニエル・デフォーの『ペスト』を読み始めた。パンデミックを描いたマリアン・コティヤール演じる二〇一一年の映画『コンティジョン』の感想もネットに増えている。忘れてはならない作品、忘れてはならないこと、それを書き留める作業は続く。

本書の研究の発端と経緯について記しておく。具体の研究の発端は、イギリス、ロンドンの中心部コヴェント・ガーデンに日々たつ市場にあった。ここから具体的な広場、そして市場の有り様の文化的側面を見てきた。対象地域は、イギリスからヨーロッパに移り、そこから日本の広場、市場を見直すことも行った。この作業は次第に、具体的な時空の中の広場、市場からフィクション、ノンフィクションの中の広場、市場へと広がった。この過程で、多くの文献を渉猟し、収集した。具体が超えられぬ境界を抽象は超えられる。翻訳という営みが成り立つのも抽象のはたらきによる。他方、抽象の超えられぬ境界を具体はたとえば外国の製品というかたちで超える。抽象と具体のグラデーションの中、主体は今、どこにいるのかということが、作家という主体、作品、読者という主体それぞれのありように大きくかかわる。人生という具体的現実に比べれば、ことばによってつくられた小説とても抽象の領域となる。イギリス小説もまた具体の集積でありながら、現実からみれば抽象。

三月社石井氏には原稿整理の段階でいくつものご助言をいただいた。本づくりにつき、さまざまな知見に触れることができた。ここに記して感謝申し上げたい。

出版にあたっては勤務先中京大学より出版助成（二〇二〇）を受けた。さらに本書の萌芽は、今世紀初頭から本格化させたナイポール作品を中心とするインド英語小説の研究にあり、テキスト中心主義を土台とする中間報告的成果『絨毯とトランスプランテーション』（二〇一七）出版に漕ぎつけられたのは勤務先二〇一六年度特定研究助成に負うところが大きい。爾来、当該テーマの敷衍に力を注ぎ、本書の抽象的思考部分にもそれはおよんでいる。この場を借りて関係者および事務担当者諸氏に感謝申し上げたい。

作品年表

以下は本書のなかでも言及回数の多い夏目漱石、V・S・ナイポール、カズオ・イシグロの作品年表である。これに本文中（56頁）のディケンズの作品年表を加え四人の作品を並べたのは、本文に出てくる作品を十九世紀から、二十世紀、二十一世紀までの長い文脈のなかでとらえる一助とするため、さらにそれぞれの作家の年表の見え方が、見る者しだいで異なることを示すためだ。著者にはこう見えるとそれぞれの年表の冒頭で断ることによって、数ある見え方の一例を示したい。

まずは56頁のディケンズ。日本では『クリスマス・キャロル』ばかりが知られている。これはクリスマスというイヴェントと結びつきやすく、長さも短く適当ということで、読書ばなれの昨今、なんとかぎりぎりの厚さのために紹介が多くなるということかもしれない。しかし、ディケンズに心を動かされるところまで、ひとつの世界観を知るところまで、さらにそこから自分なりの世界観を構築するところまでを目指すなら、『荒涼館』、『リトル・ドリット』、『われらが共通の友』を開く必要がある。昨今、世の中がますますわかりにくくなった、そのわかりにくさの、なりはじめのところが、これら三作に描き出されている。十九世紀のイギリスのことながら、今日われわれの抱える問題に繋がっている。若者の居場所の発見、すべての個人の前に立ちはだかる壁や閉塞感、ひとつのモノ、ひとつのことば、一人の人間が単独で存立しえず世の中のすべてを経めぐっている様など、複雑な問題の糸口を与えてくれる。

そうした読書経験を経て、漱石を読み直すと、わが明治の文豪の世界もときに小さく見える。しかしそこは日英のはざまでもがき苦しんだ作家の作品だけあって、前期のからっとした作品群も面白ければ、伊豆の大患を契機としての後期の作品群も今でも十分鑑賞に堪える。病をはじめとして大きな出来事が作家を大きく変える。その変わりようが漱石作品鑑賞の要とみえる。

『吾輩は猫である』(一九〇五年一〇月―一九〇七年五月、大倉書店・服部書店)
『坊っちゃん』(一九〇七年、春陽堂刊『鶉籠』収録)
『草枕』(『鶉籠』収録)
『二百十日』(『鶉籠』収録)
『野分』(一九〇八年、春陽堂刊『草合』収録)
『虞美人草』(一九〇八年一月、春陽堂)
『坑夫』(『草合』収録)
『三四郎』(一九〇九年五月、春陽堂)
『それから』(一九一〇年一月、春陽堂)
『門』(一九一一年一月、春陽堂)
『彼岸過迄』(一九一二年九月、春陽堂)
『行人』(一九一四年一月、大倉書店)
『こゝろ』(一九一四年九月、岩波書店)
『道草』(一九一五年一〇月、岩波書店)
『明暗』(一九一七年一月、岩波書店)

ナイポールはよくもわるくも二十世紀の人だ。この時期、世界の帝国はふたつの大戦を経験し、植民地が次々と独立した。文化の流れも宗主国からの一方通行であったのに対し、旧植民地の側から自分たちの現状の把握から世界全体を見渡そうという動きが出てきた。ナイポールの作品はそのプロセスを克明に描き出す。作品ひとつごとに世界認識を変化させ、たえず新たな世界の姿を読者に提供してきた。

V・S・ナイポール（Vidiadhar Surajprasad Naipaul）一九三二〜二〇一八年。旧英領、現在のトリニダード・アンド・トバゴのトリニダード島でインド系住民三世として生まれる。『ビスワス氏の家』、『模倣者たち』、『到着の謎』、『ある放浪者の半生』、『魔法の種』といった小説に加え、『中間航路』、インドもの三作、イスラム世界を描いた二作、『アフリカの仮面』など、数々の紀行を発表した。その英語は一見平易ながら、作家の主張の通り、平易な英語で難しいことを表現するという類の英語で、読者を異なる時空に容易に運んでいく。二〇〇一年のノーベル文学賞受賞作家。

※英語のみで表記した作品には邦訳なし

The Mystic Masseur（一九五七年）、『神秘な指圧師』（永川玲二・大工原彌太郎訳、草思社、二〇〇二年二月）
The Suffrage of Elvira（一九五八年）
Miguel Street（一九五九年）、『ミゲル・ストリート』（小沢自然・小野正嗣訳、岩波書店、二〇〇五年二月。岩波文庫、二〇一九年五月）
A House for Mr Biswas（一九六一年）
Mr. Stone and the Knights Companion（一九六三年）
A Flag on the Island（一九六七年）
The Mimic Men（一九六七年）

In a Free State（一九七一年）、『自由の国で』（安引宏訳、草思社、二〇〇七年一二月）
Guerillas（一九七五年）
A Bend in the River（一九七九年）、『暗い河』（小野寺健訳、TBSブリタニカ、一九八一年）
Finding the Centre（一九八四年）、『中心の発見』（栂正行・山本伸訳、草思社、二〇〇三年一月）
The Enigma of Arrival（一九八七年）
A Way in the World（一九九四年）
Half a Life（二〇〇一年）、『ある放浪者の半生』（斎藤兆史訳、岩波書店、二〇〇二年）
Magic Seeds（二〇〇四年）、『魔法の種』（斎藤兆史訳、岩波書店、二〇〇七年九月）

最後がカズオ・イシグロ。ディケンズが十九世紀ロンドンの市民生活を描き、漱石が十九世紀から二十世紀への変わり目の東京山の手の市民生活を描いた。宗主国にあこがれ、やがて幻滅の末、旧植民地の現状を丹念に描いたナイポールは、ディケンズのロンドンや漱石の東京といった都市から全世界へと軸を移していった。それでもまだナイポールの作品には旧植民地出身者の運命というテーマが消えることはなかった。ところがイシグロとなると主人公たちの国籍や居住地はあまり意味をなさなくなる。どこの国に住んでいようとも、どこの地域に住んでいようとも直面しうる問題がかれのテーマとなった。十八世紀に一気にピークを迎えたイギリス小説は、ディケンズの十九世紀に爛熟し、やがてイギリスの外から来た漱石のような人が、自国に定着させた。その後、テーマは個別の地域を舞台に展開されるという段階から、どこでもないところ、いつでもないとき、といった抽象的な時空のなかで深められていった。

カズオ・イシグロ

五歳まで長崎で過ごし、父親の仕事の関係でイギリスに移り住んだ日系イギリス人作家。これまでの主要作品八作（二〇一九年現在）をまとめて読み返すと、それらの作品は個別の場にとらわれているように見えながら、主体、記憶、孤独、家、迷路、継承、断絶といったトポスに縛られぬ問題群に行きつく。二〇一七年ノーベル文学賞受賞で、イシグロ作品がより多くの人々の目に触れることになった。

A Pale View of Hills（一九八二年）、『遠い山なみの光』（小野寺健一訳、一九八四年）
An Artist of the Floating World（一九八六年）、『浮世の画家』（飛田茂雄訳、一九八八年）
The Remains of the Day（一九八九年）、『日の名残り』（土屋政雄訳、一九九〇年）
The Unconsoled（一九九五年）、『充たされざる者』（古賀林幸訳、一九九七年）
When We Were Orphans（二〇〇〇年）、『わたしたちが孤児だったころ』（入江真佐子訳、二〇〇一年）
Never Let Me Go（二〇〇五年）、『わたしを離さないで』（土屋政雄訳、二〇〇六年）
The Buried Giant（二〇一五年）、『忘れられた巨人』（土屋政雄訳、二〇一五年）

地名さくいん

それが今では容易に人の口にのぼり、そのあたりの地形の模型まで展示されるまでになった〝マチュピチュ〟という地名は、どこにあるのか、どんな土地かと、人の想像力を刺激する。〝ティンブクトゥ〟も同様に想像をかきたてるが、ぼんやりと地図を眺めていただけでは何もわからない。若くして亡くなった旅行作家ブルース・チャットウィンもそういう具合にパタゴニアという土地に思いを馳せていたのだろう。

本書のさくいんを作ろうと思い立った時、はじめは人名や作品名を取り上げる予定で校正を進めていた。そうしているうちに、人名や作品名は読者が本文を読み込むなか、唐突に出会ったほうがおもしろみが増すのではないかと思うようになった。その一方で本文中の地名を集めてみたところ、書いた本人がそれらに思いを馳せ、考え込むようになった。未踏の地もある。そこで本稿のさくいんは思い切って地名に限定して取り上げることにした。地名がタイトルとなっている作品名も入っている。自身にとっては、かつて訪れた場所を再訪した時、過去と今とで印象はどう違うかなどと、想像は尽きることがない。

あ

會津八一記念博物館 101
英虞湾 118
嵐山 29

い

イースト・アングリア大学 73
伊賀上野 126
イギリス 2 4 7 20 22 40 47 52 53 55 59 61-64 67 68 70 71 73 74 77 80 85 89 90 91 97 100 114 119 121 125 129 130 131 133 137 138 141 143 144 157 164 166 168 169 175 176 182 184 186-199 202 203
伊豆 83 146 199
泉鏡花旧居跡 100
伊勢 118 124
いつか―どこか 17
伊能忠敬記念館 127
イプスウィッチ 74
いま―ここ 17

う

ヴァンゼー会議 166
ウィリアム・モリスの家 61
上野 84
上野高校 126
『ウオールデン：森の生活』 25
ウォレス・コレクション 55

え

越後 92

お
大久保 100
大阪 47 107
大宮 43
オールド・セイラム 142
奥千本 124
小倉池 29
尾崎紅葉旧居跡 100
落合 100
オックスフォード 40
オックスフォード・ストリート 66

か
カーライル博物館 30
神楽坂 84
かくれんぼ横町 100
掛川 125
神奈川 83
『金沢』 138
金谷 124
神島 118
カリフォルニア 40 149
神田古書店街 101

き
キーツの家 61 184
木組み博物館 101
九州 87 92
京都 73
ギリシャ 4 62 120
ギルフォード 141 146

く
クアラルンプール 47
クイーンズ 25
草間彌生美術館 101
熊本 83 86 93 145

け
外宮 118
ケンジントン 19
ケント 71
見番横町 100
ケンブリッジ大学 19

こ
小泉八雲旧居跡 101
コヴェント・ガーデン 35 36 69 71 194 197
湖水地方 169
『古都』 136
小牧空港 82
「コンコルド広場」 45

さ
ザイール 144
西行庵 124
佐伯祐三アトリエ記念館 101
サティス・ハウス 62
佐野美術館 101
小夜 124
サンフランシスコ 134

し
ジェラード・ストリート 67
自然史博物館 19
品川駅 40
島村抱月終焉の地 100
ジャカルタ 47
上海 3 18 19 21 22 79 142 146
『上海』 126
修善寺 175
消防博物館 101
シンガポール 47 115
新宿 42 84 99–116
新宿区立漱石山房記念館 83 102
新宿歴史博物館 84 101 105

す
スコットランド 173
墨田川 180

せ
関ヶ原 21 96
千駄木 82–84 93

そ
ソーホー 32 67 71
ソールズベリー 141

た

ダーリントン・ホール 20 140
大英博物館 29 31 60 188 190
台北 47
第四高等学校 82
ダブリン 123 170
玉の井 180

ち

チェルシー 30
千葉市美術館 106
中尊寺 124 126

つ

ツイン・ピークス 179
坪内逍遥旧居跡 101
坪内博士記念演劇博物館 101
つまみかんざし博物館 101

て

ディケンズ・ハウス 59 62 70

と

東京 38 45–47 73 83 86 92–94 99 126 127 139 144 145 181 202
東京おもちゃ博物館 101
東京グローブ座 102
東京染ものがたり博物館 101
ドクター・（サミュエル・）ジョンソンの家 61
トコピージャ 193
トテナム・コート・ロード 128
鳥羽市 118
トマス・カーライルの家 61
「トラファルガー広場」 45
トリエステ 170
トリニダード 3 7 196 201
トリノ 24

な

永井荷風旧居跡 101
長崎 47 121 142 203
中千本 124 125
中村つねアトリエ記念館 101
長良川 112

名古屋 35 37 44 46 47 82 93 118 124 126 145 160
奈良 124

に

日坂 124
ニューヨーク 24 25 45 155 172 173

ね

根岸 84

の

ノーフォーク 73
ノルウェー 119

は

バース 74
パターソン 193
林芙美子記念館 101
ハロッズ 19
『ハワーズ・エンド』 62
バンコク 47 144
ハンプシャー 141

ひ

兵庫横町 100

ふ

フィリピン 148
フォトグラファーズ・ギャラリー 35
富士山 45 105 108 163
二葉亭四迷旧居跡 101
フランス 156 180 196
ブリテン島 32
ブロンクス 172 173

へ

ベイカー・ストリート 61
北京 47
ベルギー 144

ほ

ホーチミンシティー 47
ホームウッド・パーク 142
ポーランド 144
ボルティモア 184 185

本郷 84
香港 40 42 47 79 115 116 148 149 153 154 156
本多通り 100

ま

松尾芭蕉記念館 127
松尾芭蕉むすびの句記念館 127
松山 82 86 87 93
マンスフィールド・パーク 130
マンチェスター 188 189
マンハッタン 23–27 173

み

ミゲル・ストリート 3 7 171 201
ミドルマーチ 91 131–133
南伊勢町 118
南シドナム 141
ミラノ 29 31
民音音楽博物館 101

め

明治村 79 82

や

柳田邦男旧居跡 101

ゆ

湯河原 82 83
雪国 37

よ

吉野 124 125
四谷 100 101

り

リッチモンド 171

ろ

ローマ 4 7 62
ロチェスター 66 68 69 71
ロンドン 3 18 19 29–32 35 36 45 46 53–55 59–61 63 64 66–68 70–74 77 85 100 102 128 138 141 142 165 168 169 171 184 187–190 194 196 197 202
ロンドン大学 60 61 73 196
ロンドン図書館 190

わ

早稲田 73 83 84 100–102

◉著者紹介

栂　正行（とが・まさゆき）
東京都立大学人文科学研究科博士課程中退。同大学人文学部助手を経て、現在中京大学教養教育研究院教授。著書に『創造と模倣』（三月社）、『引用と借景』（三月社）、『コヴェント・ガーデン』（河出書房新社）、『絨毯とトランスプランテーション』（音羽書房鶴見書店）、『土着と近代』（共編著、音羽書房鶴見書店）、『インド英語小説の世界』（共編著、鳳書房）、『刻まれた旅程』（共著、勁草書房）、訳書にアルフレッド・ダグラス『タロット』、リチャード・キャヴェンディッシュ『黒魔術』、『魔術の歴史』（いずれも河出書房新社）、マテイ・カリネスク『モダンの五つの顔』（共訳、せりか書房）、V・S・ナイポール『中心の発見』（共訳、草思社）、サイモン・シャーマ『風景と記憶』（共訳、河出書房新社）、カミール・パーリャ『性のペルソナ』（共訳、河出書房新社）など。

抽象と具体

創造行為を描き出すこと

2020年 5月 20日 初版1刷発行
2023年 9月 10日 2刷発行

著 者 栂正行

発行人 石井裕一
発行所 株式会社三月社
〒113-0033 東京都文京区本郷一丁目5-17 三洋ビル67
tel. 03-5844-6967 fax. 03-5844-6612 http://sangatsusha.jp/
組版・装幀 @gonten
印刷・製本 大村紙業株式会社

ISBN978-4-9907755-4-4 C0070